Thaï

DU MEME AUTEUR

Aux éditions L'Harmattan

Un siècle de vélo au pays des sourds
Le fabuleux destin de Robert Mathé
Le monde incroyable des sourds

Aux éditions BoD

Il était une fois les sourds français
Un homme peut en cacher un autre
Tête d'Or
Impossible n'est pas sourd

www.patricegicquel.fr

Patrice GICQUEL

Thaï

roman

"Il y a deux tragédies dans la vie : l'une est de ne pas satisfaire son désir et l'autre de le satisfaire."

"Les folies sont les seules choses qu'on ne regrette jamais."

Oscar Wilde,
écrivain irlandais

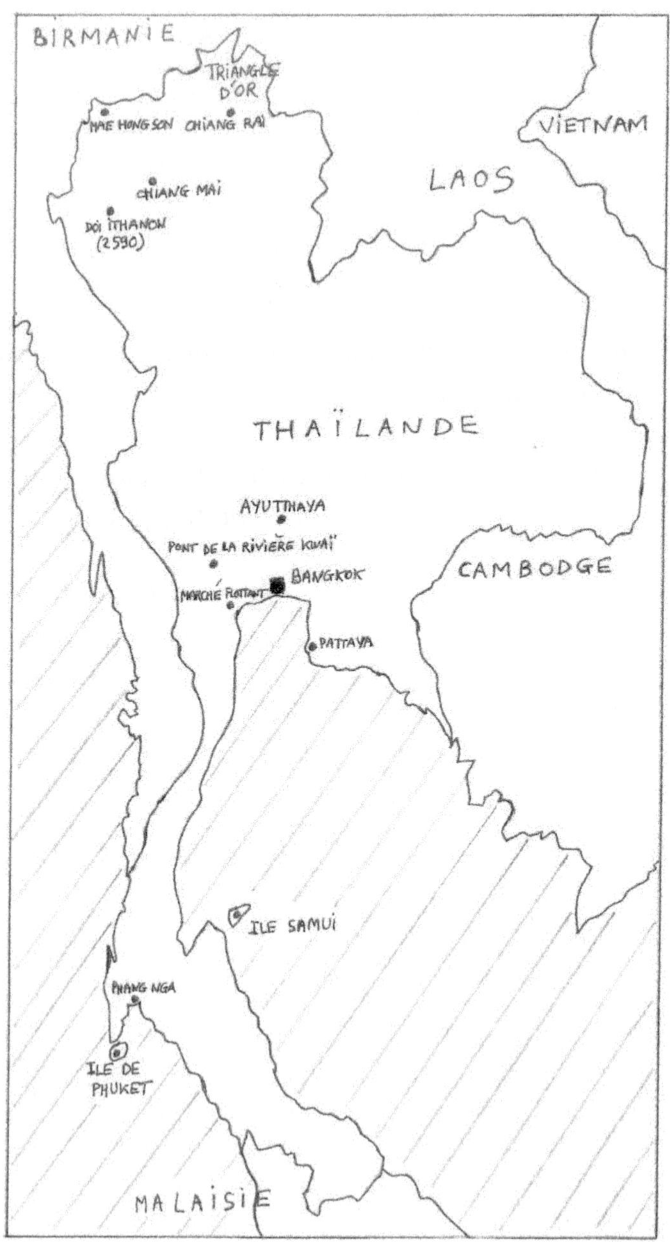
BIRMANIE
TRIANGLE D'OR
MAE HONG SON
CHIANG RAI
VIETNAM
LAOS
CHIANG MAI
DOI ITHANON (2590)
THAÏLANDE
AYUTTHAYA
PONT DE LA RIVIÈRE KWAÏ
BANGKOK
MARCHÉ FLOTTANT
CAMBODGE
PATTAYA
ILE SAMUI
PHANG NGA
ILE DE PHUKET
MALAISIE

PROLOGUE

Je m'appelle Erwan.

A l'heure où je décide de raconter une partie de ma vie, je suis dans une maisonnette au bord de la mer en train de lire *Les fleurs du mal* de Baudelaire à longueur de journée.

En ce beau mois d'août, chaque soir, je prends plaisir à contempler le coucher du soleil sur une plage déserte de monde.

Je suis seul et triste.

J'aurai vingt-neuf ans dans quelques mois. Mais je me suis négligé ; je me suis laissé pousser la barbe depuis bientôt quinze jours.

Et cela fait un bon moment que j'ai arrêté de lire *Ouest-France* et que je ne regarde plus les infos de 20 heures.

Je ne sais plus quoi faire d'autre.

Je n'ai nulle envie de me morfondre.

Alors j'ai choisi d'écrire.
C'est le moment ou jamais !
Pour tuer l'ennui et le temps.
Et pour me redonner un peu de goût à la vie.

J'ai vu et vécu des choses hors du commun que certains d'entre vous ne pourraient pas imaginer.

De rebondissement en rebondissement, j'ai connu de la joie.

De l'inquiétude, également.

Me remémorer en quelques mots ces histoires de passions, d'aventures, d'amitié, de plaisirs et d'amour me serait difficile.

Lorsque je commence à rédiger cette toute première page, j'ai une pensée pleine de reconnaissance pour Jean-Pierre.

Lui, c'est mon ami.

PREMIERE PARTIE

Chapitre 1

C'était sous la grisaille d'un samedi d'automne. Sur un terrain de foot où s'opposaient deux équipes de sourds dans la capitale bretonne, je fis la connaissance d'un homme sourd à la moustache soigneusement taillée et proche de la quarantaine, nommé Jean-Pierre.

Au premier regard, il m'avait l'air sympathique.

Après des palabres à n'en plus en finir, il m'annonça :

– Je vais repartir en Thaïlande… l'année prochaine.

– Ah bon ?

– Oui… Ce serait bien que j'aille là-bas avec quelqu'un.

– Ah oui ?

– Mais je préfèrerais que ce soit un type désireux de partir en exploration, à la recherche d'émotions, à la rencontre d'un peuple, d'une civilisation et d'une tradition différents des nôtres. Et pas n'importe qui ! objecta Jean-Pierre, après avoir salué un fervent supporter des *Rouge et Noir* qu'il connaissait à l'époque de sa jeunesse.

Je ne dis rien mais il avait bien deviné que j'étais particulièrement intéressé de sa nouvelle escapade pour l'Asie.

*

* *

Né de parents bretons avec un père pêcheur qu'il voyait rarement, Jean-Pierre vécut tout le long de son enfance dans la cité de Lorient, important port de pêche et militaire.

Jadis, ce solide gaillard, aux épaules larges et aux jambes d'haltérophile, gagnait un prix de « Monsieur Muscle » au cours d'une soirée organisée par des sourds à Angers. Excellent athlète, il avait participé aux Jeux Olympiques des Sourds dans les années 70.

Bref, il était le genre de type que j'aimais avoir à mes côtés. Un célibataire endurci, cultivé, intrépide et doué pour le sens de l'organisation et de l'orientation qui en faisaient un bon compagnon de voyage. Porteur de verres correcteurs, il était gentil comme tout.

Par le plus grand des hasards, nous, qui étions sourds et de souche bretonne, partageâmes une affinité de goûts pour l'aventure.

Ce fut une joie intense et une occasion unique quand je décidai de le suivre.

*
* *

L'Asie me fascinait déjà comme l'Afrique australe et l'Amérique du sud.

Moi, j'allai découvrir, en long et en large, les mille et un secrets au pays du sourire. A cette époque, la Thaïlande était la région ayant enregistré la plus forte fréquentation de touristes du monde entier.

Bien sûr, il était fort impossible que je devienne, du jour au lendemain, un aventurier hors pair. Rassurez-vous, j'aurais simplement l'air d'un touriste indépendant.

C'est donc par là que je commencerai ma carrière de voyageur.

Huit mois plus tard, ce fut le grand départ.

La veille, je n'arrivai pas à trouver le sommeil. Une petite appréhension m'habitait. J'imaginais mal que le rêve pouvait devenir réalité. Dans ma tête, je n'y étais pas encore.

L'aventure, la rencontre, l'inattendu, l'imprévu et l'inconnu me semblaient inaccessibles.

Chapitre 2

Bangkok, enfin... Nous descendîmes de l'avion Thaï Airways International, fatigués et mal réveillés.

Durant quatorze heures, pendant lesquelles j'avais sommeillé, le voyage aérien fut éprouvant depuis Paris via Stockholm.

Jean-Pierre, en bavard à anecdotes, n'avait pas hésité à me raconter de ses tribulations, de ses aventures passées et d'autres à venir, certaines à me parler des femmes, des plaisirs et des voyages lointains, outre sa passion pour les courses de chevaux.

Quel bonheur d'avoir mis le pied sur un autre continent !

Je n'avais jamais posé mon pied sur le territoire asiatique.

Dix mille kilomètres séparaient l'Europe de la Thaïlande.

En sortant de l'aéroport, après avoir récupéré nos bagages et échangé nos billets français en billets thaïlandais qu'on appelait le baht – monnaie courante qui valait approximativement vingt centimes –, je sentis une chaleur étouffante.

Nous eûmes l'impression d'entrer dans un immense four qui venait de s'éteindre.

Valise à la main et petit sac à dos sur les épaules, je fus sensible à cette atmosphère attirante. Je me plongeais dans une société différente de la mienne. C'est comme si nous passions d'un univers à un autre.

Quel changement brutal !

Le climat, les visages, les regards, l'odeur, le rythme de vie.

L'air chaud, lourd et humide.

Mes yeux n'étaient pas habitués à ce genre de scènes.

*

* *

Situé à vingt-cinq kilomètres au nord de la capitale au centre de laquelle il est relié par une autoroute et par chemin de fer, l'aéroport international de Bangkok, Don Muang, est la plaque tournante de l'Asie du Sud-Est.

Nous fîmes signe au chauffeur de taxi pour nous conduire à l'hôtel. Il fallait compter une heure et demie, à cause de la circulation, pour atteindre notre prochaine destination.

A bord d'une bagnole climatisée, j'essayai d'observer au mieux, à travers la vitre teintée, tout ce qui me frappait, sous le regard amusé de Jean-Pierre.

Les bidonvilles, constitués d'un habitat minable et précaire, fait de matériaux de récupération – bois, tôles, plastiques, cartons –, dans la périphérie de Bangkok attirèrent mon attention.

Brusquement, je tournai les yeux en direction de Jean-Pierre.

– C'est inacceptable de voir tout cela, dis-je, perplexe.

– Oui… tout à fait, déclara mon compagnon de voyage. Ici, il y a beaucoup de familles sans métier, ni avenir, en lutte contre la famine, la misère et la pauvreté.

Je hochai la tête en signe d'assentiment et continuai à jeter un regard circulaire sur les alentours de la ville.

Beaucoup plus loin, le centre ville, un des plus pollués du monde, représentait un ensemble d'immeubles hauts et prétentieux, des gens de taille moyenne aux yeux bridés et aux cheveux noirs et raides, les embarras d'une circulation et la foule bigarrée.

On pouvait notamment voir des nouvelles constructions de tours à buts multiples : commerces, bureaux, grandes surfaces, parkings et appartements de luxe ou d'hôtels. Devant le développement du tourisme et par suite de manque d'espace, les hôtels commençaient à s'agrandir en hauteur.

Trois quarts d'heure plus tard, nous arrivâmes à l'hôtel *Nana*, sur Road Sukhumvit, qui se situait dans un des quartiers les plus connus à l'est de la ville, avec accès à l'aéroport international de Bangkok facilité par la proximité de l'autoroute.

C'était un bâtiment climatisé à plusieurs étages dominant les autres habitations. Un hôtel économique, trois étoiles.

Avec le décalage horaire avoisinant les six heures, l'envie de bien-être et de repos commença à se faire sentir.

Alors que nous avions déjà réservé quatre nuits, les trois premiers jours et la veille du dernier jour avant le retour pour la France, nous nous pressâmes, dans la salle d'accueil, à prendre les clés de nos chambres.

Accoudé à la réception, Jean-Pierre, n'ayant jamais appris la langue anglaise, me demanda :

– Pourrais-tu expliquer à l'hôtesse de l'accueil que nous aimerions avoir les clés de nos chambres… déjà réservées ?

– Oui, oui… pas de problème ! lançai-je en souriant.

Ici, la langue officielle étant le thaï, on parlait aussi le chinois et l'anglais.

Mais, ne pouvant pas prononcer convenablement l'anglais, je m'arrangeais toujours à l'aide d'un stylo et d'un petit bout de papier. Les échanges mutuels, les réservations pour les avions, trains et bus avaient lieu par écrit et rarement par oral.

Après nous avoir fait remplir le formulaire d'admission, l'hôtesse nous tendit deux clés.

Pour la première fois depuis le départ de Paris, nous nous séparâmes et promîmes de nous retrouver pour midi. Le temps de nous reposer un peu nous ferait, à coup sûr, du bien.

Les serveurs portèrent nos ballots. Au bout de la montée par l'ascenseur, j'entrai avec joie dans une chambre située au troisième étage.

Un moment d'étonnement !

C'était une vaste pièce avec un lit pour deux personnes, deux fauteuils et une petite table. En face du lit, un buffet pourvu d'un poste de télévision, avec un réfrigérateur en prime. Sur le mur était accroché un miroir long de quatre mètres et haut de deux mètres. Sur le côté gauche, grâce à de larges fenêtres aux rideaux rouges, la lumière du jour éclairait suffisamment la chambre. Il y avait aussi une salle de bains bien aménagée, avec deux lavabos et une baignoire aux robinets argentés.

Après avoir mis délicatement ma valise sur le lit, le porteur, souriant, petit et rond, vêtu d'un costume bordeaux et d'un pantalon noir, m'attendit au pied de la porte.

Je sortis de ma poche un billet de quelques bahts et le lui tendis. A sa manière, il me remercia en hochant la tête.

*

* *

Confortablement installé dans la salle à coucher, je déballai tout ce qui se trouvait dans la valise et le sac à dos.

La liste fut longue.

Mais je me fais le plaisir de vous donner quelques détails : un passeport, un peu d'argent liquide, des chèques-travellers d'une valeur de huit mille francs, un guide Marco Polo, un permis de conduire international délivré à la dernière minute par la Préfecture, un appareil photo et une pile de pellicules de vingt-quatre poses, une paire de lunettes de soleil, une trousse de toilette comportant du *lariam* pour lutter contre le paludisme à prendre une seule fois avant de partir, pendant le voyage et au retour pendant un mois tout en respectant le même jour à intervalle, une boîte de médicaments pour les petits ennuis intestinaux, un carnet de santé et la crème solaire.

Côté vêtements, rien de spécial !

Sans m'attarder, je pris une douche et m'allongeai sur le grand lit. Les bras croisés sur ma tête, je pensai à ma famille, à mes amis et à mes collègues de travail.

Quand je me trouvais seul à l'autre bout du monde, j'éprouvais un drôle de sentiment au fond de mon cœur dans la salle devenue un peu fraîche car j'avais omis de baisser la climatisation.

La suite et la perspective des prochaines journées et soirées me réjouissaient et m'inquiétaient à la fois.

Actuellement, j'arrivais dans un monde qui m'était entièrement inconnu.

C'est ça, l'aventure.

Et nous dûmes très vite nous adapter à une culture intégralement opposée de la nôtre, dans les façons de vivre, de manger, de dormir…

Que voulez-vous, nous possédions des yeux extraordinaires grâce auxquels nous pourrions voir mille choses et observer tout ce qui peut nous frapper.

Chapitre 3

A midi, après un sommeil réparateur, je retrouvai Jean-Pierre, dans le hall d'accueil, en meilleure forme.

A peine sortis de l'hôtel, sur la voie principale, nous vîmes des centaines de voitures, autant d'autocars et de mobylettes qui circulaient à vive allure.

Ceux-ci asphyxiaient en permanence la ville de Bangkok à coups d'accélération ou de démarrage. Cette atmosphère suffocante était renforcée par une chaleur intense. Les Thaïlandais se déplaçaient beaucoup en deux roues.

Les gaz d'échappement des moyens de transport émettaient un impressionnant nuage de fumée, laissant un goût âcre dans la bouche et une odeur désagréable.

Après avoir dîné dans une petite gargote, bardés d'un appareil photo, nous fîmes signe à un pilote de tuk-tuk.

C'était des taxis bleu et jaune à trois roues dépourvus de vitres. Mais ces triporteurs motorisés étaient le meilleur moyen de circuler ; ils pouvaient se faufiler presque partout.

Les conducteurs de tuk-tuk n'étaient pas les propriétaires de ces véhicules. Ils les louaient à la journée à une compagnie ou à quelqu'un qui en possédait plusieurs. Ils payaient l'essence et conservaient le bénéfice de la journée. Ils devaient rendre la voiturette à une certaine heure et souvent un autre chauffeur repartait avec. Dur métier !

*

* *

A l'issue d'un trajet admirablement rapide et efficace, tout en roulant au milieu des véhicules motorisés et à travers les rues et boulevards, le tuk-tuk nous déposa dans un quartier spécifiquement chinois : un quartier à ne pas manquer !

– C'est un quartier connu où vit la plus grande communauté chinoise d'Asie du Sud-Est, précisa Jean-Pierre.

On pourrait dire que l'ensemble de la capitale était une ville chinoise, tant les influences chinoises s'y faisaient sentir.

Au cours des deux derniers siècles, notamment pour échapper à la famine et au communisme, les Chinois étaient arrivés en masse.

Partis de rien, ils avaient commencé comme ouvriers ou conducteurs de pousse-pousse, mais aidés par leur esprit d'entreprise, leur forte organisation communautaire et leur opiniâtreté, ils s'étaient rapidement intéressés au commerce et à la finance pour bientôt ne laisser aux Thaïs que l'agriculture et les métiers de l'administration.

*

* *

La Chine m'avait toujours attiré depuis mon enfance. Lorsque j'évoquais mes multiples lectures sur les aventures de Tintin, le meilleur de tous, c'était *Tintin et le lotus bleu* !

Je m'apprêtais à partir pour la Chine. Malheureusement, la guerre du Golfe s'était déclenchée. Par précaution, j'avais annulé ce voyage.

Sans cette putain de guerre, j'aurais vu la Chine, côtoyé les millions de cyclistes chinois dans les rues de Pékin et admiré la grande muraille, seul monument visible de la lune.

*

* *

Dans ses allées étroites et tortueuses, parfois à ciel ouvert, il y avait un monde incroyable.

Parmi la foule des passants distants et silencieux dans ce quartier chinois, nous musardâmes, de-ci de-là, goûtant les odeurs et l'humidité des coins sombres, avec une certaine curiosité.

Les senteurs de fruits se mêlaient à celles des sueurs et des épices, nos épaules se bousculaient dans un va et vient incessant et précipité.

Mais, quel que soit l'endroit, on y trouvait tout ce que l'on peut imaginer : nourriture, objets utilitaires ou d'occasion, anciens ou rares, pièces détachées pour voitures et motos, vêtements, artisanat local en tous genres.

Sans oublier les vendeurs ambulants qui encombraient les trottoirs aux côtés des bijoutiers, des échoppes et des boutiquiers.

Après avoir longuement déambulé dans ce drôle de quartier à la fois mystérieux et intéressant, j'eus l'impression de connaître un peu mieux la vie courante et la culture chinoise.

*

* *

Le crépuscule arriva.

Plus vite qu'en Europe !

Il faisait déjà noir aux alentours de 17 heures.

Enfin, nous rejoignîmes l'hôtel puis nous filâmes à pied dans l'espoir de dénicher un resto à quelques pas de notre hôtel pour remplir nos estomacs vides.

Ici, en Thaïlande, on pouvait manger partout, dans la rue, les hôtels, les *coffee shops*, les bars, de tout avec les spécialités du monde entier et tout le temps ! Même la nuit.

Après de bonnes minutes passées dans les ruelles, nous entrâmes dans un resto thaïlandais où l'on nous servait de grandes assiettes pleines de choses succulentes.

Que des spécialités thaïlandaises !

Au menu, curry de viandes ou de poissons, légumes, salades, accompagnés d'un riz cuit à la vapeur, léger, non collant et parfumé.

– Les Thaïs ont un penchant très net pour la cuisine épicée, me prévint Jean-Pierre. Il est donc prudent de vérifier ce qui est dans l'assiette.

Etant un gros mangeur de pain, ce petit bout allait me manquer cruellement durant ce séjour !

Dans le repas thaï, il n'y avait pas non plus de hors d'oeuvres.

Sur notre table, on plaçait tous les plats dans des bols plus ou moins gros.

Chacun disposait de son bol de riz blanc individuel. Il ne nous restait plus qu'à piquer dans les plats collectifs et se faire sa propre préparation en ajoutant : vinaigre, sauce de soja, sucre, sauce de tomate épicée, sauce de poisson et surtout sauce de poisson épicée avec des morceaux de piments rouges et verts.

Abasourdi devant la variété des aliments asiatiques, je pris plaisir à les goûter.

Mais manger avec des baguettes, je n'aimais pas ça. Pourtant, j'avais essayé. Je m'étais habitué à utiliser les vieilles méthodes françaises avec couteau, fourchettes, cuillères.

Pendant ce temps, assis devant notre table, après avoir dégusté la cuisine thaïe un peu trop épicée, mais la plus raffinée et la meilleure d'Asie du Sud-Est, nous regardions les visages différents des nôtres aux tables voisines.

– Tu as quelque chose de prévu, ce soir ? me demanda Jean-Pierre.

– Pas vraiment.

– Je peux te proposer d'aller à Patpong, connu mondialement comme la rue la plus « sexy » du centre de Bangkok, si tu veux.

– Oui, pourquoi pas !

Pour le dessert, je commandai un banana split contenant trois boules de glace, de la crème chantilly, du chocolat chauffé et une banane coupée en deux. Le savant mélange de ces ingrédients était extraordinaire.

*

* *

Une demi-heure plus tard, nous arrivâmes à Patpong.

La rue était seulement longue d'une centaine de mètres et ne dormait jamais. Le matin, c'était un centre d'affaires, dans l'après-midi, un gigantesque bazar pour devenir, à la nuit, un quartier chaud.

L'avenue n'était pas déserte ni immobile.

Bien au contraire !

La ruelle était essentiellement composée d'une multitude de bars à « *go-go girls* » avec leurs néons aguicheurs, où rôdaient de magnifiques femmes aux habits sexy et provocants.

Ces dernières, vêtues d'une mini-jupe et de talons aiguilles, déambulaient au milieu des allées et venues des touristes et des éventuels clients.

J'en restai interdit, le souffle coupé.

Moment d'ivresse où le réel et l'irréel se confondaient.

Dans ma tête, tout se bouscula. C'était comme dans un monde de rêves.

J'avais en face de moi la réalité qui me frappait les yeux. Ce fut assez choquant de voir ce lieu de prostitution en pleine obscurité.

Je tombai des nues ; j'eus du mal à imaginer la présence d'innombrables prostituées à la recherche des bons mâles et des machos.

Croyez-moi, je n'avais jamais vu un tel désordre avec autant de tapins ! Je n'avais pas l'habitude de côtoyer ce genre de nanas.

Certaines étaient jeunes, douces, charmantes, rassurantes, belles et désirables ; d'autres, monstrueuses, vieilles et laides.

Je ne fis pas deux mètres qu'une d'entre elles s'approcha à ma hauteur.

Je fis non de la tête et m'éloignai d'un pas lent et tranquille.

Bon nombre de ces femmes m'accostèrent avec leur sourire sensuel et attirant. Je leur fis un sourire flatteur.

Le plus souvent, en prenant amicalement mon bras, elles me proposaient d'entrer dans leur night-club.

Des fois, je fis semblant de ne pas les écouter ; d'autres fois, je refusai gentiment leur proposition en hochant ma tête pour leur montrer que je ne comptais pas y entrer.

*

* *

J'étais alors un jeune homme sérieux, mais cela ne m'avait pas empêché de connaître quelques flirts pendant ma scolarité.

Un baccalauréat en poche. A l'âge de dix-neuf ans.

Faute d'interprète, je renonçai vite à poursuivre des études universitaires.

A dire vrai, je n'aimais pas du tout l'école. Pourtant, certains de mes anciens professeurs disaient que j'étais doué.

Dans ma génération, il était rare qu'un sourd ait décroché ce diplôme. Une très grande majorité de sourds avaient le niveau de CAP et BEP.

Un an plus tard, après avoir reçu une pile de lettres refusées, je trouvai enfin un travail avec un salaire confortable mais je n'avais qu'une idée : voyager.

J'étais un solitaire. Pas de femme, peu d'amis. Lorsque j'avais vingt ans, je vivais encore chez mes parents.

Et je me plongeais souvent dans les livres, magazines et bandes dessinées au lieu de brûler dans les soirées et les boîtes de nuit.

La tranquillité et le calme étaient mes points forts dans la vie que je menais.

*

* *

Tard dans la nuit, nous regagnâmes l'hôtel par le tuk-tuk.

Avant d'être dans les bras de Morphée, je repensai à notre première virée nocturne sur le sol asiatique.

Des images défilèrent dans mon esprit. Bangkokiens, touristes occidentaux, camelots et prostituées… une foule bariolée qui se fondait dans le marché de la nuit à Patpong.

Chapitre 4

En ce début de matinée, après un rapide débarbouillage, je m'empressai de sortir de l'hôtel pour mieux plonger dans la vie quotidienne thaïlandaise.

Au bout d'une rue sur la droite, nous aperçûmes de loin des marchands ambulants dont les bras s'envolaient, les mains virevoltaient, les yeux pétillaient, le regard évocateur, les visages se fendaient d'un large sourire.

Jean-Pierre me prévint du coin de l'œil que c'était un petit groupe de sourds thaïlandais. Tout cela, je l'avais bien deviné.

Devant leurs stands remplis de vêtements et de produits artisanaux, je serrai cordialement les mains une par une.

Certains furent accueillants et gracieux ; d'autres, réservés et discrets, n'osèrent pas nous adresser leurs paroles.

Nous n'avions pas eu de trop grandes difficultés pour converser avec eux, même si la langue des signes thaïlandaise est différente de la nôtre.

Toutefois, la communication gestuelle permet de sauter par-dessus les barrières linguistiques.

Comme disait le philosophe français Condillac, les gestes, les mouvements du visage et les accents inarticulés, voilà les premiers moyens que les hommes ont eu pour se communiquer leurs pensées.

Un exemple : le signe « boire » se fait avec le pouce dirigé vers la bouche ; c'est un signe universel, qu'utilisent les entendants et les sourds étrangers.

Ou encore, le signe « manger » - doigts réunis en faisceau et dirigés vers la bouche -, est connu de toute la planète ; il est pratiqué par les gens de tous horizons lorsqu'ils se trouvent dans un pays dont ils ignorent la langue.

A ce point de vue, les sourds sont quand même plus avantagés que les personnes entendantes qui dépendent fortement des interprètes si elles ne connaissent pas la langue étrangère ou bien ne cherchent pas à gesticuler.

Dans les années 90, l'ancien professeur de philosophie, journaliste et homme de théâtre, Jean Grémion, affirmait dans son ouvrage *La planète des sourds* que le langage gestuel est l'un des trésors vivants de la culture corporelle de notre humanité.

*

* *

En Thaïlande, de nombreux enfants sourds n'étaient pas scolarisés à défaut d'écoles et d'enseignants. D'une manière générale, c'était tout le système d'éducation qui manquait de moyens humains et financiers.

D'ailleurs, il n'y avait pas de dispositif d'aide à l'embauche de personnes sourdes.

Voilà pourquoi la plupart d'entre eux devaient travailler dans les marchés.

Sur le trottoir, ils nous avouèrent qu'ils restaient optimistes surtout lorsqu'ils rencontraient des touristes étrangers pratiquant le langage gestuel ou un autre moyen de communication comme les signes mimiques, ce qui leur donnait la possibilité de rompre l'isolement dans lequel ils se trouvaient.

Nos adieux, pleins d'ardeur et d'émotion, furent des instants rares et suffisants pour comprendre la richesse et la profondeur des liens humains.

*

* *

Dans les minutes qui suivirent, sur cette même rue principale, nous fîmes appel à un chauffeur de tuk-tuk : direction les temples.

Durant le trajet, à travers une forte circulation matinale, Jean-Pierre m'informa :

– Il y a quarante mille temples en Thaïlande dont quatre cents à Bangkok !

– C'est énorme.

Mon compagnon de voyage approuva d'un signe de tête.

– Certains sont magnifiques, d'autres humbles et totalement méconnus des visiteurs. Les temples, autrefois principaux centres d'éducation, hospices et orphelinats, sont restés un lieu de vie publique pour les Thaïlandais. On y vient pour tout un tas de raisons : mariages, funérailles, prières..., expliqua-t-il.

Après avoir subi les embouteillages, la pollution citadine et les files d'attente, nous accédâmes, apaisés, à l'enceinte du Grand Palais qui se situait au beau milieu d'une boucle du fleuve *Chao Phraya*, sur la côte sud-est du golfe du Siam.

Maintenant, ce site, s'étendant sur cinq hectares et composé de monuments aux architectures extraordinaires, était devenu le principal centre religieux de toute la Thaïlande.

La chaleur et l'humidité ne cessaient d'augmenter ; quelques pas au dehors suffirent pour nous faire transpirer.

Heureusement, j'avais pris la précaution de porter un pantalon en toile. Le *jean's* pouvait coller désagréablement aux cuisses.

Tickets à la main, nous commençâmes la visite qui nous apporta une petite mais vraie détente qui contrastait avec l'agitation saccadée de la ville.

Après avoir entraperçu le Grand Palais, une ancienne résidence royale, construite dans un style hybride, mi-oriental, mi-occidental, nous cheminâmes à petit pas dans le reste du site.

Nous arrivâmes devant un ensemble de temples aux couleurs criardes : toits superposés, façades chargées, recouvertes de verres, de bouts de miroir, de morceaux de faïences multicolores, agrémentées de petites sculptures ; nous entrâmes dans l'édifice principal, le *Wat Phra Kaeo*, qui abritait la fameuse statue de Bouddha.

Jamais de ma vie je n'avais vu un endroit aussi somptueux. Pourtant, il ne m'inspirait pas trop.

– Peut-être, parce que je suis catholique, pensai-je.

Quant à Jean-Pierre, il était plus que fasciné : derrière ses lunettes, il avait les yeux rivés en permanence sur ce qu'il voyait.

Emerveillé par l'éclat de cette statue d'Emeraude que je voyais à travers l'immense porte entrouverte, j'enlevai mes espadrilles pour y entrer.

Et Jean-Pierre m'imita.

Quand on pénètre dans un temple, on enlève obligatoirement ses chaussures pour ne pas souiller les lieux. C'est une marque de respect.

Je saisis alors pourquoi les Thaïs portaient assidûment des souliers sans lacets, faciles à ôter et à remettre.

Au-dedans, l'odeur de l'encens était excitante ; une petite poignée d'hommes et femmes, plus ou moins jeunes, s'agenouillaient pour une prière personnelle. Certains déposaient des offrandes – fleurs et cierges – ; d'autres se réunissaient pour méditer.

En fait, nous ne vîmes pas vraiment cette statue car elle était placée sur un énorme socle à onze mètres de haut et ne mesurait que soixante quinze centimètres !

Pour les Thaïlandais, c'est un peu l'équivalent de la statue de la Vierge à Lourdes.

Outre le Bouddha d'Emeraude, nous ne pûmes alors nous empêcher d'admirer l'autel recouvert d'or ainsi que, tout autour du bouddha d'Emeraude, sur les murs, de belles fresques retraçant la vie de Bouddha.

En dehors de moult autres édifices, nous remarquâmes un magnifique chedî doré, des dizaines de petits temples, des statues de monstres, gardiens des portes des temples et, aux environs de certains chedîs, des statues de démons à tête de singe qui supportaient les structures, parés de costumes de mosaïques multicolores.

– Pff... J'aurai quand même préféré que, financièrement, les hommes aident davantage les pauvres au lieu de bâtir des tas de temples, rien que pour la religion, déclarai-je d'un air embarrassé à Jean-Pierre.

– Oui, c'est vrai... mais c'est souvent comme ça, conclut-il.

Sous les grandes arcades, la douceur des formes et des couleurs d'une grande fresque se mariait à merveille avec l'histoire des rois de l'époque, dont celle de la vie de Râma 1er.

*

* *

Cet après-midi-là, sous un ciel gris chargé de quelques nuages sombres, nous passâmes d'une rive à l'autre à bord d'un bac, rempli d'un groupe d'une cinquantaine de citadins, à la mauvaise mine, et de quelques touristes asiatiques.

Nous arrivâmes à Thonburi.

C'est là que le général Taksin, proclamé roi, créa une nouvelle capitale en 1782, après la destruction d'Ayutthaya par les Birmans.

Mais, son successeur, Râma 1er, fondateur de la dynastie Chakri, préféra déplacer la capitale de l'autre côté du fleuve.

Malgré la démographie galopante des vingt dernières années qui avait totalement urbanisé Bangkok, Thonburi avait conservé son aspect d'autrefois et son enchevêtrement de canaux. Nous plongeâmes dans une vieille ville bouillonnante de vie ; la circulation était infernale, vélos, motos et mobylettes se croisaient sous l'œil impuissant des policiers.

Il y avait aussi le grand marché bigarré.

Quel contraste avec le calme des lieux saints !

Au lieu de déambuler, nous prîmes un pousse-pousse à deux pour faire le tour de la ville.

C'était bien agréable de se laisser guider en cyclo-pousse mais au bout d'un moment, j'eus vraiment honte de voir pédaler le petit grand-père qui nous promenait.

Ensuite, pour rallier l'hôtel, nous embarquâmes dans un hors-bord sur le fleuve *Chao Phraya*.

C'était une sorte de canot rapide dont le moteur était placé à l'arrière, en dehors de la coque. Propulsés par des moteurs 1800cm3, ces bateaux à longue queue parcouraient les canaux, dits *klongs*, de Bangkok dans un vacarme étourdissant. Ce transport sur les klongs de la ville reste le préféré des habitants pour sa rapidité et son prix modique.

Le trajet, en effet, ne nous coûtait quasiment rien : entre dix et vingt bahts, soit autour de trois francs !

Durant la course, nous dûmes parfois baisser la tête, aveuglés par les projections d'eau.

Vu la vitesse affolante, je tremblotai tout en me demandant si la coque pouvait survoler l'eau du fleuve. Le jeune conducteur, adroit et sûr de lui, nous assura, pouce en l'air, que tout alla bien.

A mes côtés, Jean-Pierre souriait d'un air amusé.

De temps à autre, les jets d'eau nous piquaient le visage mais nous pûmes lorgner quelques gratte-ciels et bidonvilles qui surplombaient et embellissaient ce cours d'eau géant.

L'architecture traditionnelle et la ville moderne se regardaient de chaque côté du *Chao Phraya*.

A notre arrivée sur la jetée, je ne tenais plus sur mes jambes à cause de l'émotion et de la peur intense ressenties.

*

* *

Le soir venu, dans la chambre, après avoir pris un bain chaud, j'allumai le téléviseur. Sur une chaîne, il y avait un jeu, type *Questions pour un champion*, sur lequel figurait, dans une petite lucarne en haut à droite de l'écran, une interprète traduisant en langue des signes pour les téléspectateurs sourds thaïlandais.

Une dizaine de minutes plus tard, après avoir zappé toutes les chaînes en actionnant la télécommande, j'éteignis la télévision et m'allongeai sur le lit. Mais au bout de quelques secondes, je m'ennuyai et n'eus aucune envie de m'endormir aussitôt.

Je sus par Jean-Pierre qu'il existait une discothèque dans le sous-sol de l'hôtel. C'était une petite salle confortable moquettée de rouge porto, garnie de fauteuils accueillants.

Légèrement parfumé, j'entrai dans une petite foule et m'assis sur un siège moelleux au teint de velours rouge bordeaux.

A ma gauche, un petit bar aux formes modernes était rempli de bouteilles alcoolisées et de jus d'orange.

L'éclairage était sombre et rendait l'atmosphère peu conviviale.

La musique ? Je ne ressentais de mon côté aucune attirance pour le volume sonore ; je ne le comprenais pas, ni ne cherchais à le comprendre, même si, avec mes oreilles bouchées, je pouvais ressentir les vibrations dans mon cœur et imaginer très fort cette musique forte ou douce dans ma tête.

A ce moment-là, j'avais la tête ailleurs ; je lançai un coup d'œil à la ronde.

Il n'y avait pas grand monde ; ce lieu ouvert semblait essentiellement peuplé de jeunes Asiatiques souriantes.

Elles ne buvaient pas ; elles patientaient en jetant des regards malicieux. De temps à autre, l'une d'elles se levait, accompagnée.

Je sirotai tranquillement ma boisson fraîche puis j'avisai, dans un coin, une minette.

Elle était svelte, le visage jovial, le regard plein de curiosité, l'œil aguicheur, la bouche assez coquine, avec une chevelure épaisse et abondante.

Elle tourna la tête dans ma direction. Ses yeux accrochèrent les miens, et se détournèrent aussitôt, puis revinrent un instant.

D'un air décidé, elle s'approcha de moi et murmura à mon oreille :

– …

Elle semblait prête à s'engager la conversation avec moi ; je dus la prévenir que je n'entendais pas.

Elle parut surprise, peut-être parce que c'était la première fois qu'elle rencontrait un sourd. Alors, je lui adressai un sourire enchanteur.

Cependant, elle n'hésita pas à me questionner :

– *Do you speak english ?*

– *No... a little,* répondis-je lentement.

– *Your name ?*

– Erwan, articulai-je.

Elle sourit un moment et s'enquit :

– *Country ?*

– France… Paris, dis-je calmement.

Elle me regardait avec admiration comme si elle n'avait jamais vu un Européen.

Petit à petit, nous nous rapprochâmes l'un de l'autre.

Quelques minutes plus tard, nous nous dirigeâmes discrètement vers la porte de sortie ; nous nous entraînâmes tous les deux jusqu'à la chambre dont je fermai la porte.

*

* *

N'ayant jamais eu de relations avec des Asiatiques, j'éprouvai un drôle de sentiment.

Elle m'attendait sur le lit, presque nue. Je me déshabillai un peu maladroitement et me jetai sur elle.

Je caressai son corps et ses cheveux ; mes attouchements voluptueux ne semblèrent pas lui déplaire.

Peu après, je commençai à la pénétrer lentement mais sûrement.

Au bout de quelques minutes, elle se mit à gémir pour ne plus jamais s'arrêter.

Bizarrement, je n'arrivai pas à vider mes testicules ; je dus me rendre à l'évidence qu'il valait mieux arrêter.

J'essayai donc de la convaincre.

– Demain, ça ira peut-être…, proposai-je, en m'aidant de mes mains.

Non, elle ne voulait rien savoir ni sortir du lit. Elle me regarda avec insistance et me fit signe de continuer encore.

Alors, elle se mit à quatre pattes sur le lit ; je fis tout mon possible pour la contenter. Elle se montrait toujours plus insatiable, me retenant dès que je faisais mine de ralentir ou d'arrêter.

Tard dans la nuit, elle me demanda en anglais et en frottant ses deux index :

– Tu as de l'argent ? … Pour moi ?

– Oui.

A cet instant, je compris qu'elle voulait que je lui donne de l'argent pour la remercier. Pourtant, cette belle Thaïlandaise n'était pas une prostituée.

Non, je n'avais jamais payé les femmes pour le plaisir sexuel mais, dans ce pays, on ne voyait pas les choses comme en Europe.

Et j'avais encore beaucoup à apprendre sur les choses de la vie.

– Combien ? questionnai-je.

– Mille bahts, me désigna-t-elle.

– OK…

Je sortis de mon portefeuille des billets puis elle me quitta sans un mot.

Chapitre 5

Au lever du soleil, nous retournâmes dans un autre quartier des temples, le *Wat Po*, qui, pourtant, était proche du *Wat Phra Kaeo* : dix minutes à pied !

Conçu pour l'éducation des moines bouddhistes et des laïcs dès sa fondation, le *Wat Po* est le plus vieux monastère de Bangkok.

C'est encore un ensemble de temples dont le principal contient le célèbre bouddha couché qui fut édifié par Râma 1er au XVIIIème siècle.

L'entrée est décorée de deux personnages de pierre, coiffés d'un chapeau haut de forme et tenant de longs bâtons.

Dehors, il faisait déjà chaud.

En sillonnant dans un espace aménagé de coins de verdure et de repos, je remarquai que, contrairement au Grand Palais, le *Wat Po* était bien vivant.

De là, dans une cour déserte, je vis deux chérubins en uniforme – chemise blanche et bermuda bleu marine – pratiquer le ping-pong, un des sports les plus prisés en Asie, sur trois petites tables en bois magnifiquement rassemblées.

Ça me fait penser à l'époque où, pendant l'hiver du début des années 80, j'avais gagné un petit tournoi entre sourds avec le bras gauche cassé dans le plâtre ! Mais j'avais continué à m'entraîner, tous les jours après le déjeuner du midi, comme si je n'avais pas de fracture. J'avais treize ans.

A l'intérieur du temple, se trouvait un gigantesque bouddha couché, entièrement recouvert de feuilles d'or, long de quarante cinq mètres et haut de quinze mètres, très à l'étroit dans son petit temple.

De quoi décourager les voleurs !

Pendant ce temps-là, aux côtés de Jean-Pierre, je ne pus m'empêcher d'être en admiration devant cette gigantesque statue allongée : son sourire narquois, la délicatesse des cheveux et ses pieds joliment incrustés de nacre illustraient parfaitement les qualités de Bouddha.

– C'est tout de même impressionnant…, déclarai-je.

Jean-Pierre hocha lentement la tête en signe d'approbation et commenta :

– La position couchée est celle précédant l'atteinte du nirvâna, point de libération du cycle des réincarnations.

Je haussai les épaules.

– Je ne comprends pas ce que tu viens de me dire ?

Il avait les yeux fixés sur moi lorsqu'il essaya de me clarifier :

– C'est la transmigration, après la mort, de l'âme d'un corps dans un autre corps.

Dans l'enceinte, trônaient quatre grands chedîs recouverts de céramiques très décorées. Leurs formes et couleurs, qui représentaient les premiers rois de la dynastie Chakri, étaient toutes différentes.

Sous les deux galeries, derrière des parois de verre, une série de dessins anatomiques montraient les différentes parties de corps.

Puis nous arpentâmes les alentours du temple et vîmes deux autres galeries qui abritaient trois cents quatre-vingt quatorze bouddhas assis.

Bref, on en avait en plein les yeux et pour longtemps.

Un peu plus loin, nous aperçûmes, dans le préau, un groupe de frêles silhouettes au joli minois, toujours en uniforme.

Sous l'œil attentif des trois bonzes, aux cheveux rasés et se drapant dans une robe safranée, ils étaient assis sur un banc, en train de manger avec leur assiette sur les genoux.

A cet instant-là, Jean-Pierre s'approcha de moi et m'expliqua :

– Traditionnellement, l'homme thaï doit, au moins une fois dans sa vie, revêtir l'habit de bonze. Dès le plus jeune âge, les parents conduisent leur bambin au monastère. Il va y recevoir la bénédiction d'un moine bouddhiste…

Alors que je l'écoutais toujours attentivement, il continua à argumenter.

– Plus âgé, l'enfant peut être amené à séjourner de quelques mois à quelques années au monastère qu'il soit fille ou garçon… Il aura le crâne rasé et portera la robe jaune ou rouge des bonzes et partagera leur vie de prières et d'études. Souvent, entre dix et dix-sept ans.

– Pourquoi faut-il raser le crâne ? questionnai-je en lui lançant un regard intrigué.

– Eh bien… Contrairement au christianisme et à l'islam, la tête est la partie la plus sacrée de l'individu pour les bouddhistes…

– Ah bon ?! interrompis-je.

– Oui, parce qu'elle contient l'âme, me répondit-il.

– Ici, en Thaïlande, il est donc extrêmement insultant de tapoter la tête d'une autre personne, comme on le fait souvent avec les enfants, poursuivit-il.

Avant de quitter définitivement l'accueillant *Wat Po*, il ajouta :

– Pour un Occidental, le bouddhisme thaï apparaît comme une religion tolérante, souriante et très présente dans la vie des gens.

DEUXIEME PARTIE

Chapitre 6

Ainsi se termina notre séjour à Bangkok.

Au bout de trois jours, nous en avions assez de sortir et de nous promener, côtoyant la circulation démente, chaotique et exténuante puis partageant notre temps entre l'hôtel climatisé et la chaleur oppressante.

Nous brûlions d'impatience de nous envoler dans la province pour déguster le calme paisible.

Après avoir échangé de l'argent contre les chèques travellers dans une banque, nous nous préparâmes, en cette fin d'après-midi, à une longue route de sept cents kilomètres dans un car de nuit qui nous acheminerait vers le nord de la Thaïlande, à Chiang Mai.

*

* *

Aux alentours de 18 heures, après avoir pris deux billets dans une agence située derrière notre hôtel, nous nous engouffrâmes dans le VIP Tour avec de l'air conditionné.

Il faisait déjà noir.

Dès que nous eûmes embarqués, le lourd véhicule se mit en marche.

Je m'installai avec confiance dans l'autocar. Et je n'avais aucune envie de papoter.

De l'autre côté du couloir, un couple avait mis son siège en position inclinée ; il semblait rêvasser ou dormir, le visage tourné vers la vitre.

Aux côtés de Jean-Pierre, je tentai de faire pareil tandis que le bus poursuivait sa course dans la nuit.

Après douze heures de route, le car fit halte devant la gare routière de Chiang Mai.

La ville de Chiang Mai, appelée « La Rose du Nord », est la capitale de la région montagneuse du nord et la seconde ville thaïlandaise avec une population totale d'un million trois cents mille habitants pour l'ensemble de la province.

Mais l'agglomération elle-même n'en compte que deux cents mille.

Il faisait grand jour lorsqu'un quart d'heure plus tard, un chauffeur de taxi nous déposa devant le porche du gigantesque hôtel.

Après ce voyage exténuant et cette nuit compliquée, où je n'avais presque pas fermé l'œil, je me sentais épuisé.

Nous entreposâmes nos bagages dans le hall d'entrée et deux serveurs nous accompagnèrent à nos chambres respectives.

Après une petite sieste matinale qui nous avait rétablis, nous sortîmes, joyeux, de l'hôtel.

Et nous profitâmes d'un moment de liberté pour les plaisirs du ventre.

Ici, comme à Bangkok, existaient une multitude de restaurants avec toutes les cuisines possibles.

Le choix se résumait entre manger en plein air dans les petites boutiques qui offraient généralement les meilleurs plats, dans les auberges spécialisées dans un type de cuisine nationale, ou dans les salles climatisées des hôtels.

Nous évitâmes ces derniers qui étaient les plus chers et pas forcément d'une qualité plus grande.

*

* *

Nous nous rendîmes ensuite chez un loueur de motos car nous comptions flâner dans les environs de cette ville.

La moto est particulièrement pratique pour circuler en Thaïlande, aussi bien sur les pistes des campagnes que dans les ruelles des petites villes de province.

A Bangkok, elle était toute aussi adaptée pour se faufiler dans les embouteillages mais nous n'avions pas voulu prendre ce risque alors nous nous contentions avec le tuk-tuk.

Nous louâmes donc une moto. C'était une petite Honda 100cc de couleur rouge et blanc.

Avec précaution, nous vérifiâmes freins, vitesses et pneus avant de signer le document sinon c'est nous qui nous chargerions des réparations en cas de problème !

Avec ces engins motorisés, nous circulâmes à vive allure dans les allées de Chiang Mai et slalomâmes entre les voitures lentes, les tuk-tuk et les samlors.

Parfois, à moto, sans casque, nous bravâmes mille périls pour éviter un accident stupide sur les chaussées thaïlandaises couvertes de nids de poule.

– Certains Thaïs conduisent comme des fous. D'autres ne respectent pas le code de la route, me fit remarquer Jean-Pierre.

Je hochai la tête.

Mais ce fut, avant tout, un plaisir hors normes avec beaucoup d'indépendance et de liberté.

*

* *

Tout le monde sait que Chiang Mai est le plus grand centre de production artisanale de la Thaïlande.

Armés d'un esprit curieux, nous fonçâmes vers la route des artisans située à l'est de Chiang Mai.

Une extraordinaire concentration des diverses activités artisanales et industrielles de la capitale du Nord s'effectuait de part et d'autre de cette simple route ombragée : argentiers, tisserands, batteurs d'or, potiers, laqueurs, graveurs, sculpteurs sur pierre, bois, ivoire, os, bronziers, fabricants d'ombrelles.

Elle était par ailleurs réputée pour la qualité de ses tissages de coton et de soie : nous pûmes apprécier, dans un atelier, toute la chaîne de production de la soie depuis l'apparition du cocon fabriqué par les vers jusqu'au tissage. C'était remarquable.

Autrement, il faut préciser que les artisans de Chiang Mai étaient célèbres à juste titre.

Pourquoi ?

Parce qu'ils avaient su maintenir et développer toutes les techniques traditionnelles qui avaient fait la célébrité des artisans siamois depuis des siècles !

Bref, le circuit des villages d'artisans était, pour nous, la meilleure façon d'estimer l'incomparable savoir-faire, la patience, le perfectionnisme, en un mot, le talent des artisans thaïlandais.

*

* *

De retour dans le centre de Chiang Mai, l'appareil photo en bandoulière, j'aperçus, sur un terrain vague, des jeunes Thaïlandais, rassemblés de chaque côté d'un filet, comme au volley-ball : ils se disputaient une petite balle d'osier.

Mon visage s'illumina comme celui d'un enfant devant son premier sapin de Noël.

– Je n'avais jamais vu ce genre de sport, émis-je à mon compagnon de voyage.

– Moi non plus !

– Impressionnant, convins-je, enthousiaste.

C'était le takrao, un sport traditionnel pratiqué surtout dans la capitale et dans le sud de la Thaïlande.

Les joueurs devaient maintenir la balle constamment en l'air, en recourant à tout sauf à leurs mains. Pour utiliser les autres parties de leur corps, ils étaient contraints à d'époustouflantes acrobaties.

Jean-Pierre et moi-même suivîmes ce jeu avec passion.

Dans ma jeune vie sportive, j'avais joué de nombreux matchs de foot, de basket, de volley et de hand mais ce sport m'était inconnu et il me plut beaucoup.

*

* *

Ce même jour, en plein centre ville, nous débarquâmes devant une imposante porte : MAISON DE MASSAGE TRADITIONNEL.

Jamais je n'avais été massé par une femme !

Non ! Jamais de ma vie !

A l'intérieur, arriva une officiante aussi souriante que rondouillarde.

Laissant Jean-Pierre, elle m'invita à l'accompagner vers l'étage supérieur par l'escalier.

Nous entrâmes dans un compartiment doté d'un lit de massage et d'une chaise. Chaque cellule était fermée par des rideaux coulissants de couleur bordeaux.

Elle me laissa seul un petit moment ; je me déshabillai et enfilai un pantalon blanc de kimono, très large.

Allongé sur le dos, je sentis ses mains sur mes bras et mes jambes. Elle chercha simplement à détendre mon corps.

Pendant les premières minutes de ce massage profond et lent, je me mis à bander. La masseuse, qui voyait mon érection bien visible sous ma culotte longue jusqu'aux pieds, essaya, malgré un petit sourire en coin, de faire au mieux son travail.

Je ne pus m'éviter de rigoler brièvement.

Pendant une demi-heure, la masseuse m'étira les bras, les jambes, fit remuer mes coudes, mes genoux, les jointures de mes doigts et de mes orteils, me tordit le cou et me pressa longuement chaque muscle.

Le bilan fut formidable.

A la fin de ce massage plein de douceur, de longs étirements et d'efficacité, je me sentais plus apaisé et décontracté.

A ma descente du lit de massage, la masseuse rapporta mes vêtements puis disparut après m'avoir salué d'une courbette, les deux mains jointes devant son visage.

Enfin, je m'habillai à l'abri des regards discrets de ces jolies masseuses asiatiques.

Et je descendis pour régler à la patronne de la maison de massage traditionnel.

A la sortie, Jean-Pierre me questionna :

– Alors, c'était bien ?

– Oui, oui, lui répondis-je, émoustillé.

*
* *

Cette soirée-là, malgré d'interminables allers et retours à travers la ville de Chiang Mai, nous ne dénichâmes pas de vraies boîtes de nuit et de petits bars.

Après avoir longé une rue peu passante et faiblement éclairée, nous nous arrêtâmes devant une vieille bâtisse silencieuse. En fait, une sorte de maison de débauche se trouvait à l'étage.

Nous prîmes l'escalier et, au bout du couloir, nous discernâmes un videur, une vraie armoire à glace, qui nous proposa d'entrer.

Mais je n'étais pas à l'aise. Je sentais que cet endroit pouvait être bizarre.

– Il existe, par-ci par-là, des maisons closes regroupant de jeunes vierges de douze ou treize ans qui attendent des hommes pour les dépuceler ! Les Japonais sont les rois ! m'informa Jean-Pierre.

– Ah bon… c'est vrai ?

– Oui, affirma-t-il. Mais je n'apprécie pas trop leur façon de traiter ces mineures.

Je ne dis rien mais il n'avait pas tort.

A l'intérieur, c'était une petite salle enfumée et peu lumineuse, sans fenêtre. L'atmosphère était discrète.

Au milieu, des tablettes avec des chaises à l'américaine complétaient cette sombre pièce qui manquait de fantaisie.

Quelques touristes européens, des machos, des gros durs et des vicieux, papotaient avec des poufiasses qui espéraient peut-être depuis longtemps l'acte sexuel, sans succès.

– Hum... Tout à fait le genre d'endroit où une épouse occidentale détesterait retrouver son mari ! me dis-je pensivement.

Sur la droite, derrière le comptoir, un barman occidental, aux cheveux ras encadrant un visage méchant et avisé, nous suivit longuement des yeux avec curiosité et sans gêne.

Devant la scène, une chanteuse assurait l'ambiance qui ne nous intéressait aucunement.

Ce drôle de coin ne me plaisait guère. A Jean-Pierre, non plus.

Après un rapide coup d'œil circulaire, nous nous installâmes à une table presque vide.

Peu après, une serveuse haute comme trois pommes apparut à notre place. C'était une jeune Asiatique toute menue. Les cheveux longs jusqu'aux fesses, le regard sensuel et le corps moulé, elle était vêtue d'une jolie robe noire.

Nous commandâmes à boire et discutâmes de choses et d'autres, en général sans rapport avec notre longue excursion.

Nous nous entendions très bien. Nous étions habitués à nous retrouver à deux tous les jours et nous avions pris goût à cette nouvelle vie, celle de la Thaïlande.

Que ce soit à table, en car, à moto, Jean-Pierre était un parleur instruit qui avait toujours une anecdote à raconter. L'écouter était un vrai plaisir.

Cinq minutes plus tard, la serveuse fluette arriva, munie d'un plateau et de verres, à notre table. Simultanément, elle me fit les yeux doux ; je lui adressai un sourire charmant.

Après avoir posé deux verres, elle me caressa sous le cou, ce qui me donna un sacré frisson dans le dos.

Elle disparut un moment puis nous rejoignit. Elle s'assit sur une chaise près de moi. Son joli visage faisait plaisir à voir. Ses mimiques de gamine aussi, mais sous ses airs de petite fille adorable, elle cachait sa réputation de femme à hommes.

Bref, elle avait tout pour plaire.

Nos regards se croisèrent. Vinrent ensuite quelques échanges banaux faits de gestes incompréhensibles, je sentis qu'elle éprouvait du désir pour moi.

Après le premier verre arrosé, je laissai Jean-Pierre terminer sa soirée.

Sitôt notre arrivée dans la chambre d'hôtel, elle se dévêtit et entra dans la salle de bains.

Je m'allongeai, nu comme un ver, sur mon lit.

Quelques instants plus tard, elle était dans mes bras et je caressai sensuellement son corps mat et parfumé.

A la lueur d'une lampe de chevet, je voyais ses petits seins qui jaillissaient, et sa partie intime. Puis elle ouvrit ses jambes et s'allongea sur le dos. Je la pénétrai souplement, allant et venant en elle.

Après un acte sexuel merveilleux, elle partit sans me laisser un mot mais avec mon argent.

Chapitre 7

Ce matin-là, enfoncé dans un fauteuil, un magazine entre les mains, j'aperçus de loin, dans la salle d'attente de l'hôtel, un homme en train de laisser la clef de sa chambre sur le comptoir.

– Mais, dis donc, c'est Jean-Pierre ! me déclarai-je d'un air éberlué.

Avec un calme olympien, Jean-Pierre vint auprès de moi pour m'annoncer qu'il préférait laisser sa coiffure postiche dans sa valise.

En fait, c'était au cours d'un rapport sexuel que sa perruque s'était envolée sous les mains d'une hétaïre qui voulait caresser ses cheveux sans savoir qu'ils étaient factices.

Beaucoup plus tard, il barguigna pour m'expliquer les contraintes que pouvaient rencontrer les gens victimes d'une calvitie.

Pour le rassurer, je donnai sincèrement mon avis :

– T'es mieux comme ça…

Cette absence de tignasse avait transformé son look. Il me paraissait plus viril qu'auparavant.

Après cette mésaventure, il abandonna définitivement sa chère moumoute.

*

* *

Jour après jour, nous poursuivions notre conquête de la Thaïlande au gré des déplacements, toujours intéressants, sinon mémorables.

Désireux de nous rendre sur le lieu du dressage des éléphants, nous quittâmes, de bonne heure, l'hôtel, à bord d'un 4 x 4 que nous avions loué.

C'était une Nissan de fabrication japonaise. Elle était belle et haute avec ses énormes roues. Confortable et sûre, également. A l'intérieur, je découvris avec étonnement le volant qui était placé à droite.

Sachez qu'on roulait, ici, à gauche, comme les Britanniques !

Avec délicatesse, Jean-Pierre débrayait et passait en douceur les vitesses ; sur le siège passager, je me contentais d'étudier sa manœuvre.

Les mains sur le volant, Jean-Pierre m'interrogea :

– Tu veux conduire un peu ?

– Euh… non, je le ferai un autre jour, lui répondis-je comme un jeune qui vient d'apprendre difficilement sa première leçon de conduite.

– C’est vrai que ce n’est pas toujours évident de changer de vitesse avec le bras gauche alors que nous sommes habitués avec l’autre ! conclut-il en riant.

Au sortir de Chiang Mai, la circulation devint plus fluide.

Pendant cinquante kilomètres, nous roulâmes à bonne allure en empruntant l’autoroute puis nous bifurquâmes à droite pour prendre la route, étroite et tortueuse.

Un peu plus loin, en un coup de volant, Jean-Pierre tourna à droite puis à gauche, et prit une petite route terreuse et caillouteuse ; nous arrivâmes devant une épaisse forêt.

Après avoir rangé notre 4 x 4 à l’abri du soleil qui tapait, nous traversâmes une rivière boueuse qui coulait tranquillement sous un pont en lianes pour atteindre le camp d’entraînement des éléphants.

Cette petite traversée me procura une sensation spéciale.

J’avais la hantise de savoir si la passerelle était solide ou si elle pouvait s’écrouler sous mon poids, pourtant léger, et sous celui de Jean-Pierre, beaucoup plus lourd, qui me suivait.

*

* *

La Thaïlande du Nord est un pays de forêts de tecks où les mastodontes étaient généralement dressés pour déplacer les arbres.

Grâce aux cornacs, magnifiquement habillés en bleu et équipés d'un chapeau de paille, qui leur faisaient traîner et entasser des troncs d'arbres, les éléphanteaux pourraient travailler plus tard dans les plantations de teck.

L'éléphant d'Asie est reconnaissable à ses petites oreilles triangulaires, plus petites que l'éléphant d'Afrique. Pas d'ivoires.

En assistant au bain des éléphants, les jeunes garçons prenaient bien soin d'eux. C'était vraiment extraordinaire. Le lien entre l'éléphant et son cornac était très fort.

Notons que l'éléphant, le plus gros animal terrestre actuel, est la bête thaïlandaise par excellence, respecté et aimé plus que tout autre.

Très rares sont, de nos jours, les éléphants qui vivent en liberté.

La faune, naguère abondante, est plus pauvre aujourd'hui. Elle a beaucoup souffert de la déforestation et des braconniers.

On ne pouvait, cependant, imaginer la Thaïlande sans ses pachydermes.

Selon les statistiques officielles, on en recensait deux cents mille au début du siècle.

Dans les années 70, il n'en restait plus que dix sept mille, y compris les animaux de trait dont le nombre s'élève aujourd'hui à trois mille.

Si rien n'est fait pour préserver ces mastodontes, d'ici une trentaine d'années, l'espèce pourrait totalement disparaître du pays.

Il était 12 heures 30.

Nous rebroussâmes chemin en empruntant de petites routes à faible trafic.

*

* *

Chiang Mai, c'est aussi la capitale aux temples multiples.

A une vingtaine de kilomètres au nord-ouest de Chiang Mai, se trouvait alors un monastère du *Doi Suthep,* le plus sacré et vénéré de toute la Thaïlande du Nord, situé au sommet d'une colline dominant toute la ville et la vallée à quelques mille mètres d'altitude.

Une route en lacets de treize kilomètres, bordée par l'épaisse forêt, nous permit d'accéder jusqu'au pied de l'escalier de trois cents marches, encadrés par deux serpents géants aux corps recouverts de tuiles vernissées.

Le 4 x 4 piloté par Jean-Pierre n'eut aucun mal pour y arriver.

Parking, restaurants, buvettes et magasins de produits de l'artisanat montagnard étaient installés face aux premières marches de l'escalier.

Peu de touristes étaient présents sur la place en ce début d'après-midi.

Pour atteindre la plate-forme du monastère, je m'amusai à grimper les trois cents marches de marbre du gigantesque escalier, deux par deux, en faisant d'immenses enjambées.

Plus haut, la vue s'étendait, de tous côtés, sur des kilomètres.

– Magnifique, n'est-ce pas ? demandai-je à Jean-Pierre, qui venait de me rejoindre.

Des gouttes de sueur perlaient sur son visage.

– Oui, oui… c'est beau ! admit-il, tout en essuyant le front avec son avant-bras.

Au bout de quelques minutes, je descendis les larges marches, comme un gamin enchanté, puis je me divertis agréablement à courir à toutes jambes.

*

* *

Au volant du 4 x 4, nous continuâmes notre route en direction du village d'une tribu appelée Méo, perché dans les montagnes à mille cinq cents mètres d'altitude.

Après avoir garé notre gros véhicule de location sur un terrain terreux, nous nous retrouvâmes pied à terre devant un ensemble de baraques qui s'acheminaient le long du chemin menant vers le haut du hameau.

Aussitôt, une bande de gamins rigolards, dotés d'un simple équipement d'été - short et tricot -, nous observa et nous entoura à la recherche d'une moindre pièce de monnaie. Leurs yeux éveillés et leurs regards profonds en disaient longs et exprimaient à la fois admiration et stupéfaction.

Un peu plus loin, un homme, maigre comme un clou, s'avança vers moi et me tendit une boîte qu'il ouvrit délicatement.

Y figuraient des perles de toutes sortes et de couleurs variées, des pierres précieuses. Et sous toutes les formes : taillées ou non, montées ou libres, les plus belles que j'avais jamais vues.

Je fis semblant d'apprécier un par un. A dire vrai, je n'aimais guère les objets de luxe ; je me moquais de tout ça.

Mais il m'incita, avec un brin de malice, à faire l'acquisition de l'un de grains d'une beauté rare.

J'écartai doucement le fameux coffret que possédait le vendeur de diamants, au sourire édenté, en lui faisant comprendre que je n'avais aucune envie de les acheter.

Pas à pas, nous suivîmes un chemin de terre qui montait et longeâmes des sortes de cabanes au toit en tôle ondulée et en plastique.

Chez les Méos, les épaisses chevelures des femmes remontées en chignons étaient sublimes. Les épouses s'habillaient d'une jupe foncée aux broderies délicates et d'un pantalon bouffant.

– Ce sont des brodeuses hors pair, m'informa soudain Jean-Pierre.

Puis il explicita la vie des Méos :

– Ils vivent du travail de la terre et de l'élevage. Ils fabriquent leurs outils eux-mêmes et descendent à la ville pour divers achats comme les médicaments.

Après un court moment de silence, il ajouta :

– Ils sont très ouverts aux nouvelles techniques et, doués pour les études, ils sont nombreux à avoir franchi les portes de l'université grâce aux efforts d'assimilation entrepris par les autorités thaïs.

Bref, c'était une culture forte où les valeurs de la famille, de clan, de solidarité, de modestie, de courage, de respect sont essentielles.

Plus haut, toujours dans la tribu des Méos, je regardai un vaillant homme, les cheveux raides et noirs, équipé d'un treillis et d'un pantalon noir serré aux chevilles, fort aimable et souriant. Derrière ses jambes, apparaissait un joli garçonnet, qui devait avoir quatre ans.

Après des salutations très cordiales, le père me montra son chef d'œuvre.

C'était un fusil en bois, une sorte d'arc.

Emerveillé par cet objet, j'acceptai, à sa demande, de l'essayer. Ce genre de tir demandait beaucoup de concentration et de calme.

Un poing comme on en trouvait dans les salles d'entraînement des boxeurs s'était planté à dix mètres en contrebas.

Après deux tentatives ratées, je me positionnai mieux. Je regardai de loin le poing. J'essayai de cibler à l'œil nu. Je tirai… et réussis à le percer.

J'étais content.

Incroyablement content.

Alors, je vidai mon porte-monnaie pour donner des sous au jeune garçon trois fois plus petit que moi, sous les yeux approbateurs de son géniteur.

*

* *

Ensuite, nous les laissâmes et enchaînâmes notre virée.

En traversant la petite forêt, une nouvelle surprise nous attendait.

Nous étions dans un parc soigneusement entretenu et prîmes plaisir à arpenter de long en large.

Ce jardin était une merveille de couleurs vives au sein d'une verdure presque tropicale.

Malgré l'orage qui venait de s'abattre, des fleurs rouges et blanches écloraient sur le sol. Des arbres, des tecks et d'autres espèces exotiques ajoutaient à la féerie du lieu.

L'eau de pluie, qui descendait de la montagne, ne cessait de couler pour parvenir, au moyen de canalisations en bambou et d'un petit moulin, à une mare dépourvue de poissons. Puis un petit ruisseau s'échappait derrière le village et fournissait l'eau nécessaire à la consommation.

Un régal pour les yeux, vraiment !

Devant nous, des bambins souriants, aux habits bariolés, étaient occupés à jeter leurs regards malicieux et parfois méfiants vers nous.

Et nous poursuivîmes notre balade dans ce village de montagnards puis nous dévalâmes le sentier en terre battue pour retrouver notre puissant 4 x 4.

J'avais beaucoup aimé l'accueil chaleureux de ces villageois, leur bonheur et leur vie paisible.

Notre communication avec eux s'était limitée par de simples gestes et des sourires. Mais la beauté et l'amabilité de ce peuple Méo m'avaient frappé au cœur.

*

* *

Nous terminâmes la journée par le marché de nuit de Chiang Mai, qui s'étendait des deux côtés de la rue. Plus ou moins organisé, plus ou moins policé, plus ou moins grouillant et coloré, ce quartier incitait à la flânerie. On y trouvait vraiment de tout : vêtements, tissus, ustensiles divers, légumes frais, fleurs, gros tas de poissons, crevettes séchées et un large éventail de produits artisanaux. La variété des couleurs, plus chatoyantes les unes que les autres, sautait aux yeux.

Ce fut une sortie exaltante.

Chapitre 8

Le jour d'une nouvelle étape était arrivé.

A l'aéroport de Chiang Mai, vers 10 heures, nous suivîmes le cortège des autres voyageurs, en partance pour Mae Hong Son, au lieu de supporter neuf heures d'autocar par la ligne régulière.

Dès que l'aéroplane eut décollé, j'en profitai pour jeter un coup d'œil à travers le hublot. Vers le nord, le pays devenait vallonné et verdoyant puis incroyablement parsemé de rizières à perte de vue.

L'avion, victime de légères turbulences, nous mit en transes.

Vingt minutes de vol plus tard, l'appareil amorça son atterrissage sur la piste imbibée de Mae Hong Son.

Nous pénétrâmes dans le bâtiment de l'aéroport au plafond constellé de ventilateurs qui tournaient avec lenteur.

Appelé la « petite suisse thaïlandaise », Mae Hong Son est un gros bourg gentil et tranquille, situé à quelques kilomètres de la frontière birmane.

Alors que de lourds nuages gris s'accumulaient sur la bourgade, nous nous hâtâmes pour nous mettre à l'abri.

Après quelques minutes d'errance, nous logeâmes dans *Balyoke Chalet Hotel*. C'était une charmante hôtellerie qui ressemblait à un chalet de montagne. Dans les corridors étroits qui menaient aux chambres, les murs étaient lambrissés.

Nous nous reposâmes dans notre chambre à deux lits, toute de bois elle aussi et décorée avec goût.

*

* *

En fin d'après-midi, nous sillonnâmes Mae Hong Son.

La ville était toujours ivre de pluie. Elle ne s'arrêtait pas, c'était un vrai déluge permanent.

Les crues d'eau encombraient la route et les trottoirs, peu de monde sortait par un temps pareil.

– Quel temps de chien ! pestai-je.

Jean-Pierre, ayant constaté mon visage grimaçant, dut me convaincre d'un air désolé :

– Oui… mais n'oublie pas que c'est la saison des moussons !

Faute de parapluie, nous nous empressâmes de marcher au risque de nous tremper jusqu'aux os.

Sachant que nous n'avions pas envie de rester les bras croisés pendant la journée du lendemain, nous nous rendîmes dans une petite agence proposant des excursions animées par les rares guides officiels de la ville.

Une fois entrés, nous saluâmes un petit homme très mince, aux membres minuscules, qui était assis derrière le comptoir.

Son visage était presque rond, son nez camus plat et ses yeux bridés. Sa peau était très métissée. C'était un homme d'une trentaine d'années. Il avait l'air d'un métis franco-vietnamien.

A première vue, il représentait pour nous un homme de confiance. Son accueil fut chaleureux.

Communiquer avec nous ne le gêna pas le moins du monde. Par chance, il savait écrire et parler français.

Mais Jean-Pierre préféra lui expliquer par écrit notre envie :

Nous souhaitons mettre les pieds dans la jungle, monter à dos d'éléphant et rencontrer les femmes au long cou.

– OK..., répondit le guide d'un ton respectueux après avoir lu avec attention le message.

Et, peu après, il nous montra plusieurs choix et leurs tarifs à l'aide d'un catalogue.

Sur le mur étaient aussi affichés plusieurs itinéraires accompagnés de photos captivantes.

Au bout de quelques minutes, nous choisîmes celui qui nous attirait plus. Sourire aux lèvres, nous réservâmes notre sélection et le payâmes d'avance.

Avant de le quitter, il nous donna rendez-vous chez lui pour le lendemain matin, là où deux touristes hollandais devaient également nous rejoindre.

*

* *

Le jour se levait, il avait encore plu, tôt le matin mais la température était remontée. Depuis notre arrivée à Mae Hong Son, il pleuvait par intervalles et le village était mouillé jusqu'aux pieds.

Cependant, loin de la circulation trépidante de Bangkok, Mae Hong Son incarnait la douceur de vivre.

Nous quittâmes de bonne heure l'hôtel après avoir pris un petit déjeuner copieux.

A quelques encablures du centre de la ville, nous retrouvâmes avec joie notre guide, muni d'un parapluie et coiffé d'une casquette de base-ball bleu marine. Il était habillé en chemise de toile kaki doublé d'un tricot blanc et en survêtement noir.

Celui-ci nous présenta sur place les deux Bataves qui étaient arrivés à l'heure convenue.

Nous échangeâmes une poignée de main cordiale : aucune émotion spéciale.

Ils paraissaient très différents l'un de l'autre.

L'un d'entre eux, un gars d'une trentaine d'années à la figure douce et ronde, aux cheveux blonds bouclés, montrait un grand respect pour nous.

L'autre, les cheveux noirs tombants sur les épaules, la moustache imposante, l'air paumé et le regard fuyant, ne nous prêtait aucune attention particulière et ne nous adressait pas la parole. Il portait un tee-shirt à l'instar des basketteurs et un jean's long jusqu'aux chevilles.

Contrairement à son copain, il ne portait pas de sac à dos. Il avait les mains vides : pas d'appareil photo ni de bouteille d'eau.

Sur le plan physique, il semblait ridicule.

– Qu'est-ce qu'il vient faire ici ? demanda Jean-Pierre.

Je partageai son avis.

– Je n'en sais rien… il est bizarre.

Peu de temps après, j'allais explorer la forêt dense et, pour la première fois depuis le début de mon périple en Thaïlande, je ressentis de la crainte pure.

Nous étions, un petit groupe de quatre, avec en commun une passion : l'aventure tropicale.

Pas de temps à perdre, nous montâmes dans un pick-up rouge du guide, direction plein nord.

A bord du véhicule à plateau découvert, je m'assis, au milieu de Jean-Pierre et du chauffeur-guide, à l'avant. Quant aux Hollandais, ils se contentèrent de prendre place à l'arrière.

Après quelques kilomètres de route terreuse dans un cadre sauvage et enchanteur, nous arrivâmes à l'embarcadère où trois pirogues étaient prêtes pour l'embarquement.

Le jeune piroguier avec son magnifique chapeau sur la tête nous attendait tranquillement.

Quand je repérai la rivière un peu agitée, j'éprouvai un début d'inquiétude. Le fait de naviguer en pleine forêt vers la frontière de Birmanie me laissait cependant pantois.

*

* *

Je me remémorai, à ce moment-là, une histoire que je n'oublierai jamais, que Jean-Pierre m'avait racontée.

Quelques années auparavant, un touriste sourd français s'aventura avec un guide thaï dans la montagne. Alors que le Français s'apprêtait à lui verser son dû, l'accompagnateur malveillant, voyant sortir de sa poche une liasse de billets, la prit et le poussa dans un ravin. Il fut tué sur le coup.

C'était une chose à ne pas faire face à des gens douteux.

*

* *

L'une des pirogues rouges, longues d'une dizaine de mètres, était équipée d'un moteur. Nous saluâmes le piroguier, déchargeâmes nos vivres puis nous embarquâmes dans la pirogue.

Une poignée d'hommes présents sur le bord la poussèrent dans le courant. Le piroguier sauta in extremis à l'arrière.

Nous dérivâmes un moment. Le ciel était couvert. Il faisait humide et silencieux. L'eau était boueuse.

Quand nous nous éloignâmes de la terre et de la forêt, le piroguier fit démarrer le moteur. Je me tenais à l'avant de la pirogue, près de Jean-Pierre et, derrière nous, les deux Bataves et le guide.

Au fil de l'eau, les berges étaient régulières et bordées par une verdure bien trempée à cause de la mousson battante.

Nous prîmes le loisir de regarder à l'avant le cours d'eau, large d'une cinquantaine de mètres. Sur les rives, de chaque côté, quelques-unes des paillotes sur pilotis étaient abandonnées.

Nous naviguâmes à un rythme lent et tranquille la rivière durant une demi-heure.

Beaucoup plus tard, notre pirogue aborda à l'endroit que le guide avait repéré. La pirogue se rapprocha lentement de la berge. Le pilote accosta et nous laissa monter sur la terre ferme.

Nous descendîmes de la pirogue pour nous engager doucement sur un sentier qui pénétrait dans une jungle où se mêlaient de grands arbres aux troncs lisses et serrés.

Le guide s'enfonçait dans la forêt en éclaireur, tandis que nous, avec les Hollandais, progressions en arrière.

Nous marchions, en file indienne, évitant de zigzaguer, écartant avec adresse des herbes hautes jusqu'au ventre. La jungle infinie et grandiose s'étendait. La rivière disparaissait peu à peu derrière nous.

Après une marche de courte durée, nous atteignîmes le camp des réfugiés birmans. Il n'y avait, en plein milieu de la prairie, que quelques cabanes en bois surélevées.

Le guide nous indiqua un de ces cabanons munis d'un escalier externe.

– Vous pouvez monter à l'étage...

Une fois arrivés en haut, nous découvrîmes, d'un côté, de beaux enfants d'origine birmane assis sur le plancher et, de l'autre, quelques-uns allongés dans une grande pièce sombre et boisée.

Sitôt descendus, cent mètres plus loin, nous pénétrâmes dans un hangar dépourvu de portes, de fenêtres et de lumière. A l'intérieur trônaient des chaises, des bancs, des pupitres en bois et un tableau noirci de grosses lettres de l'alphabet thaï que nous étions incapables de déchiffrer.

Tout cela me fit penser à l'ambiance très ancienne de l'école primaire que j'avais fréquentée avec mes compagnons d'infortune et aux religieuses visiblement dévouées.

Sa casquette vissée vers l'avant, avec ses yeux noirs, brillants d'intelligence et son petit sourire bienveillant, le guide nous fit comprendre :

– Les réfugiés birmans doivent apprendre les mots, les chiffres et les couleurs avant d'entrer définitivement dans la vie thaïlandaise.

Enfin, nous continuâmes la marche pour rejoindre la tribu des *long-necks*. Parfois, nous empruntions la piste qui longeait la rivière. Le guide connaissait parfaitement le chemin.

La vue à horizon diminuait progressivement. Le sentier se rétrécissait puis sinuait dans la forêt et la végétation envahissantes, à leur apogée, en ce début de saison des moussons.

Rarement explorée, la forêt était épaisse d'innombrables arbres qui nous dépassaient de vingt mètres au moins. Une couche basse d'arbrisseaux, d'arbustes, de plants fruitiers, haute d'un mètre à un mètre cinquante, occupait le sol humide et mouillé.

Ce n'était pas une vraie piste, impraticable en 4 x 4 !

Je marchais quelquefois le regard noyé dans la verdure folle.

Cette drôle d'expédition pédestre me ravissait. Pour Jean-Pierre, c'était pareil.

Le visage baigné de sueur, le crâne légèrement dégarni, Jean-Pierre portait un tricot blanc, un jean long jusqu'aux genoux et son appareil photo autour du cou puis son petit sac de voyage sur l'épaule : il ressemblait à un haltérophile. Malgré son poids, Jean-Pierre se déplaçait avec souplesse et légèreté.

Jean-Pierre transpirait beaucoup plus que moi. Nos mains et nos corps devenaient de plus en plus moites mais je supportais mieux la chaleur et l'humidité de l'air.

En tête, l'accompagnateur nous frayait un passage. Derrière lui, les Hollandais avançaient à pas lents et en silence. Devant moi, Jean-Pierre. Je fermai la marche, résolu et concentré.

En bon dernier, à travers le chemin boisé et escarpé, je tournais ma tête dans tous les sens par peur de voir surgir des indigènes avec leurs fusils ou leurs flèches, mais surtout des serpents.

Bigre ! Aucune présence humaine ou animale ne vint interrompre cette matinée de marche. Les animaux de la forêt, cachés sous les feuilles et dans les arbres, n'osaient peut-être pas pointer le bout de leur nez.

Le silence était pesant. Nous étions grisés par une sensation de dépaysement total, de liberté absolue.

A cet instant-là, le guide s'arrêta net, fit demi-tour et nous informa d'un ton sérieux :

– Ici, il ne faut jamais s'aventurer seul sur le territoire proche de la Birmanie au risque de se faire assassiner comme un mal-propre.

Puis il nous fit savoir :

– Nous allons bientôt arriver au village des femmes-girafes.

Machinalement, je me préparai à affronter le regard de ces autochtones à la frontière birmano-thaïlandaise.

Après une heure de promenade ô combien agréable, nous parvînmes, sous un temps lourd et légèrement pluvieux, dans une tribu perdue dans la jungle.

Je les vis de loin.

Les voilà !

Les femmes au long cou !

Le village des femmes au long cou !

J'éprouvai un tressaillement, un frissonnement de joie profonde.

Dans une large clairière parfaitement circulaire était regroupée une bonne dizaine de vraies paillotes traditionnelles en bambou.

Leur hutte avait la forme d'une petite maison surélevée de cinquante centimètres du sol, avec une porte et des fenêtres, en palmes et bambous, longue de dix mètres et large de six ou huit. Un côté se prolongeait par une terrasse en bois.

Sur la terrasse figuraient de fines et farouches silhouettes portant des anneaux de cuivre autour du cou et des jambes et composant le plus beau spectacle que j'avais jamais contemplé.

Seuls les femmes et quelques bambins étaient présents.

Le guide, toujours souriant, nous expliqua par bribes mais clairement :

– La petite fille reçoit ses premiers anneaux de cuivre à six ou sept ans, et jusqu'à vingt et un ans, on les renouvelle tous les trois ans...

Jean-Pierre lui coupa la parole et questionna :

– Jusqu'à combien d'anneaux une femme peut-elle porter ?

– Vingt-cinq, répondit gentiment le guide.

Auprès de nous, les Hollandais suivaient attentivement les interprétations du guide.

– Un collier pèse, en moyenne, quatre kilos, ce qui ne gêne nullement ces femmes pour se consacrer à leurs occupations…

J'ouvris tout grand les yeux. Jean-Pierre et les Bataves, de même.

– Aujourd'hui, ces anneaux qu'elles portent autour du cou et des jambes sont synonymes de leur appartenance à la tribu, conclut-il.

Bizarrement, nous ne vîmes pas les hommes. Peut-être étaient-ils partis à la chasse. Plus loin, un garçonnet s'amusait avec un chaton sous le regard attentif de sa mère.

Nous nous mêlâmes doucement à la vie de cette communauté isolée. Pas d'eau ni électricité… et sans chauffage !

Comme si rien n'avait changé depuis la nuit des temps !

Ce lieu devint un havre de paix. Nous étions loin des véhicules à moteur, de la civilisation, loin de l'animation citadine, des bordels, des hôtels, des douches, des restaurants chics et bon marché.

J'imaginai particulièrement mal comment ces femmes-girafes, qui n'étaient jamais sorties de leur jungle, pourraient se débrouiller, éloignées de leur village.

– Ces gens-là n'ont sûrement pas eu de contacts avec des étrangers depuis des décennies, suggérai-je à Jean-Pierre.

– En fait, ils ne sont installés en Thaïlande que depuis les années 50. C'étaient donc des réfugiés politiques à part entière que la Thaïlande a tout d'abord accueillis dans des camps militaires dirigés par des Karens - qui avaient également fui la Birmanie -, sous contrôle du gouvernement thaïlandais, précisa-t-il.

Après avoir pris des clichés, nous quittâmes le village sans nous presser. C'était un peuple exceptionnel, rempli de joie et de mystère, dans leur forêt extraordinaire.

L'itinéraire, qui nous conduisit en quelques minutes au départ de la promenade à dos d'éléphant, fut largement plus accessible.

Et quel bonheur de pouvoir rester aussi longtemps dans cette forêt infinie !

*

* *

Sitôt arrivés sur place, nous observâmes avec intérêt les éléphants accompagnés de driveurs qui nous attendaient.

Ce fut aussi là que les Bataves et le guide nous abandonnèrent seuls avec ces drôles d'animaux géants, aux impressionnantes oreilles battantes. Sacs aux dos, ils rebroussèrent chemin pour revenir à pied, au point de départ, avec un autre guide thaïlandais.

Deux pachydermes mis à notre disposition furent équipés de cacolets. Les driveurs, armés d'une baguette, ordonnèrent aux grands animaux si sages de s'accroupir pour que nous puissions monter sur leur dos.

Chacun de nous se jucha sur le cou de son éléphant et, peu de temps après, nous nous enfoncions vers l'épaisse forêt.

Postés sur le dos des immenses bêtes, nous étions fort secoués par leur trot raide auquel nos maîtres imprimaient une allure molle ou rapide.

L'éléphant était lourd, n'avançait pas vite avec ses grosses pattes. L'une se posait, l'autre suivait ; j'avais l'impression d'être dans un canot qui flottait sur les vagues.

Après une heure de balade, le driveur arrêta les éléphants et leur donna quelques minutes de repos.

Sous mes yeux, mon éléphant dévora, à l'aide de sa longue trompe mince, des bananiers et des branchages, après s'être d'abord désaltéré dans une rivière boueuse.

Nous ne nous plaignîmes pas de cette halte, histoire de pouvoir échanger nos points de vue et critiques.

Une demi-heure plus tard, après avoir traversé des champs d'herbes hautes et des petites rivières, je sentis un incroyable soulagement de mettre pied à terre.

*

* *

Le chemin du retour nous ramena à l'endroit où nous avions laissé notre guide et son véhicule rouge.

Il était 15 heures.

A peine montés dans le pick-up du guide, nous poursuivîmes notre aventure dans les environs, malgré une flotte diluvienne, avec de nombreuses visites : la grotte aux poissons sacrées ; le monastère de style birman, le *Wat Phra That*, qui offrait une vue magnifique sur la ville, l'aéroport, la vallée de la Mae Paï et le petit lac de la ville de Mae Hong Son.

Le pont suspendu donnait quant à lui le vertige lorsque nous regardions vers le bas. Un peu plus loin, se trouvaient les sources d'eau chaude à quarante degrés ; nous y aperçûmes trois mômes, presque nus, en train de faire trempette à l'aide d'une cuvette.

Lors de notre conversation amicale dans la voiture qui continuait à rouler sur le chemin du retour, le guide me lança :

– J'ai toujours envie d'aller en France pour admirer la Tour Eiffel mais je n'aurai jamais assez d'argent.

– Ah ! Paris… j'aime Paris…, répéta-t-il avec un sourire d'amertume.

Touché, je le conseillai sur un ton humoristique.

– Il suffit de vendre votre bagnole. Comme ça, vous pourrez aller à Paris.

– Non ! Non ! répondit-il avec un large sourire qui faisait remonter ses pommettes saillantes.

Si j'avais eu suffisamment de fric, je lui aurais volontiers proposé de venir chez moi.

En toute fin d'après-midi, nous laissâmes notre brave guide et le remerciâmes encore avec une chaleureuse poignée de mains.

Oui, nous devions reconnaître qu'il faisait du bon boulot. Il parlait un bon français. Sa façon de communiquer avec nous était troublante de calme et de clarté.

Encore mieux, nous n'avions pas eu de problèmes avec lui. Il était d'une pureté d'âme et d'une gentillesse extrême.

C'était un homme attachant, humain et très lié à la Thaïlande, son pays natal. Il éprouvait aussi pour nous une réelle affection qui nous faisait plaisir.

*

* *

A l'issue de cette vadrouille enrichissante, je n'avais qu'une seule hâte, rejoindre au plus vite mon hôtel où je désirais m'offrir un bain chaud et comptais me reposer sur un lit jumeau.

Le soir, avant de m'endormir, je me rendis compte que nous venions de vivre des moments et des émotions exceptionnels de la vie.

Je n'étais pas prêt d'oublier tout ça.

J'eus une cordiale pensée à ceux qui veulent se dépayser, vivre autrement, partir pour un long et beau voyage et qui ne le peuvent pas pour des raisons de santé, de famille ou de travail.

Ce qui m'intéressait le plus dans ce périple était que chaque jour donnait son comptant de plaisirs et de curiosités.

Par ailleurs, nous nous étions aperçus qu'il était toujours une satisfaction délectable de se découvrir et que nous avions mille choses à nous dire.

Jean-Pierre surtout. Il parlait presque tout le temps.

Emportés par toutes ces visions insolites et merveilleuses, je sombrai facilement dans le sommeil.

Chapitre 9

A mon réveil, je sentis une douleur fulgurante à l'estomac.

Je dus, à plusieurs reprises, aller aux toilettes.

Quelle sale journée !

Pourtant, j'avais pris la précaution de ne boire que de l'eau en bouteille depuis mon arrivée sur le sol thaïlandais ! De plus, je me contentais, la plupart du temps, d'une nourriture frugale.

D'un air inquiet, je demandai à Jean-Pierre.

– T'es pas malade, toi ?

– Non, m'assura-t-il.

Comme un père, il me conseilla d'absorber immédiatement un médicament que j'avais emporté dans ma valise.

Je devais attendre jusqu'au lendemain pour recouvrer la santé.

Je ne pris rien d'autre au petit déjeuner que du thé.

*

* *

Pour rejoindre notre prochaine destination, Chiang Rai, nous optâmes pour le chemin le plus court et le plus rapide, en prenant l'avion de Mae Hong Son à Chiang Mai, un petit vol d'une trentaine de minutes et trois heures de route par le car.

Deux voyages en une demi-journée, c'était quand même une corvée !

En fin d'après-midi, nous atteignîmes, un peu fourbus, Chiang Rai, la ville la plus septentrionale de la Thaïlande et nous avions hâte de nous rendre à *Wiang Inn*, qui était le seul hôtel somptueux.

De fait, c'était une bourgade commerçante sans charme particulier qui devait sa seule couleur à son marché où l'on pouvait rencontrer des montagnards qui venaient faire leurs emplettes.

Enfin, nous nous installâmes chacun dans notre chambre. C'était la plus belle chambre que je n'eusse jamais vue.

Harmonieusement conçue et décorée, équipée d'un téléphone – qui ne me servirait pourtant à rien ! –, d'un réfrigérateur et d'un téléviseur, elle était propre et fraîche. La salle de bains proche, tapissée de carreaux d'un blanc éclatant, était d'un modernisme absolu, y compris tapis, serviettes et gants de toilette.

Rien ne manquait. Tout était parfait.

Le luxe, quoi !

Après m'être douché et shampouiné, j'étais heureux de sentir l'air frais sur ma peau, ravi de m'être rafraîchi et satisfait d'être dans cette pièce confortable et intérieure.

Puis je m'enfouis sous les draps blancs en attendant une prochaine virée nocturne.

Un peu de sommeil pour évacuer la fatigue du voyage !

*

* *

Après une excellente sieste, je me sentais déjà beaucoup mieux.

A la sortie de l'hôtel, en bon samaritain, la première réaction de Jean-Pierre fut de savoir si j'allai bien.

– Tu as encore mal au ventre ?

– Non... ça va mieux, répondis-je, soulagé.

Après notre habituel dîner seul à seul, nous entrâmes dans un salon de massage de plaisir d'un vaste établissement qui se trouvait au-dessous de notre hôtel.

En face de nous, j'aperçus avec étonnement une large vitrine pouvant mesurer jusqu'à cinq mètres de long et trois mètres de hauteur derrière laquelle quatre rangées de siaminettes pimpantes, portant un numéro en macaron sur le haut de leur poitrine, étaient posées sur des marches en escalier.

Cette drôle de scène me fit penser à la préparation d'une photographie sur les vingt-deux sélectionnés de l'équipe de France de Foot avant la Coupe du Monde.

A leurs regards pourtant discrets, je me demandai si elles me scrutaient.

Sans hésiter, je jetai un regard interrogateur vers Jean-Pierre.

– Elles nous voient ?

– Non… elles ne peuvent pas nous voir… grâce aux vitres triplex teintées ! me garantit-il.

– Ah ! D'accord… je ne le savais pas ! m'écriai-je d'un air à la fois surpris et rassuré.

Sous l'oeil bienveillant d'un monsieur accueillant et souriant, je regardais avec admiration ces belles silhouettes immobiles et examinais leurs visages. C'était un choix difficile puisque la majorité d'entre elles étaient belles et jolies.

Au terme d'un va et vient d'une bonne dizaine de minutes où je longeais la vitrine pour sélectionner ma préférée, je choisis dans un premier temps trois demoiselles.

Jean-Pierre fut plus rapide que moi. Il venait de choisir une adorable fille au sourire angélique qui lui plaisait.

Quant à moi, je traînais un peu trop. Finalement, je repérai une beauté qui portait le numéro seize et fis un petit signe de la main en direction du bonhomme patient pour lui faire comprendre que je voulais cette femme.

Quelques secondes plus tard, mon élue arriva et me fit la courbette. Elle afficha immédiatement un sourire de bienvenue.

C'était une femme petite, forte, à la jolie face ronde, les cheveux coupés au cou et légèrement frisés. Soigneusement maquillée, elle était vêtue d'un magnifique kimono violet à petites fleurs.

Aussitôt, elle me demanda avec obligeance de régler la dame assise au comptoir.

*

* *

Ensuite, nous traversâmes un couloir peu éclairé. A la porte, elle me fit entrer dans une pièce intime, dotée de rideaux cachant les fenêtres, avec un lit, dite table d'examen et une salle de toilettes, pourvue d'une longue baignoire.

La masseuse me demanda de me dénuder et de prendre un bain préparé de ses mains.

Comme un roi, je me mis dans l'eau chaude de la minuscule piscine. Aux bons soins, elle ne manqua pas de me savonner consciencieusement sous tous les angles.

Après l'épisode de la baignoire, elle m'amena sur un lit. Muni d'une simple serviette autour de mes hanches pour cacher mon membre viril, je m'allongeai puis elle commença son travail de masseuse.

– Tu es un bel homme, me fit-elle comprendre en signes.

Durant une demi-heure, au prix des exercices naturels, elle me fit grand bien.

A l'issue de ce massage, elle me demanda si j'acceptais de faire l'amour avec elle. Après réflexion rapide, je l'informai de me rejoindre dans la chambre d'hôtel.

Elle crut que je dormais dans un hôtel lointain mais je lui expliquai que ma chambre était au-dessus de cet établissement.

Elle accepta alors. Je m'habillai en vitesse et nous nous partîmes, côte à côte, comme un jeune couple à la recherche des ébats sexuels.

A notre arrivée, je lui posai quelques questions par écrit et en anglais.

– Quel âge avez-vous ?

– Trente-trois ans, répondit-elle en souriant.

– Vous avez des enfants ?

– Oui, j'en ai deux..., dit-elle fièrement.

– Et votre mari, il fait quoi ?

Elle fit la moue et m'avoua :

– Je l'ai quitté parce qu'il était devenu violent.

Les yeux écarquillés, je restai un moment immobile, sans rien dire. Puis je lançai un regard compatissant vers elle.

Je comprenais maintenant pourquoi elle travaillait ici, rien que pour nourrir ses enfants.

Eh oui ! Il fallait bien se prostituer car c'était le meilleur moyen de gagner plus vite de l'argent.

Après nos causeries amicales, l'ancienne masseuse se mit à poil et s'allongea sur le lit pour me montrer son opulente poitrine qui faisait plaisir à voir.

Je me précipitai vers elle pour la toucher et m'amusai à lécher ses tétons. J'étais dévoré par l'envie de m'éclater et de jouir.

Elle me sourit et me lança un regard brillant de gentillesse. C'était pour me dire qu'elle avait envie d'aller plus loin.

Dans la nuit, au bout de notre quatrième relation sexuelle, nous allâmes, ruisselant de sueur, dans la salle de bains pour nous rafraîchir dans la baignoire.

Mais je n'étais pas encore comblé après avoir rejoint le lit ; je constatai, à ma vive surprise, que je bandais encore.

J'enfonçai de plus belle mon phallus dans son sexe toujours et encore humide. J'étais dans une forme éblouissante.

Jusqu'aux premières heures de l'aube, je la baisai, encore et encore... Elle m'épata vraiment et me procura un incroyable délice.

A 9 heures, après un court sommeil de deux heures, ma compagne de plaisir me laissa en prenant son dû, me lançant un amical clin d'oeil.

Une heure plus tard, je retrouvai Jean-Pierre dans le hall de notre hôtel.

Chapitre 10

En empruntant la route principale, au volant d'un 4 x 4 Mitsubshi de fabrication japonaise, nous arrivâmes, une demi-heure plus tard, à Mae Sai, poste frontière avec la Birmanie situé à l'extrême nord de la Thaïlande et à quelques centaines de mètres de Laos.

C'était un village ponctué d'édifices sans charmes et d'une invraisemblable quantité d'échoppes et tout au bout un marché, puis un pont avec une grille en son milieu. Séparant les deux pays, on voyait la rivière Sai.

Discrètement, je m'avançai auprès de trois fillettes arborant des vestes noires, des jupes, des jambières et des coiffes parées de perles, de plumes et de pièces d'argent, elles se prêtèrent gentiment au jeu des photos.

Le marché était largement fréquenté par de nombreux montagnards des environs : les tribus *Akhas, Yaos, Lahous, Méos* et *Lissous*.

Certains y vendaient leurs produits : vêtements, bijoux et quelquefois leurs captures comme des perroquets. D'ordinaire, les Thaïs venaient acquérir du jade et des pierres précieuses. Tachilek, du côté birman, lui faisait face.

Aux abords d'un pont régnait toujours une grande animation. Régulièrement, les tribus du Myanmar, notamment les Birmanes de Tachilek, vêtues traditionnellement – longue jupe et corsage collant –, se déplaçaient jusqu'à ce marché pour acheter les produits de consommation et appareils qui leur faisaient cruellement défaut dans leur pays fermé.

*

* *

La route du Triangle d'Or, qui partait vers l'est juste après Mae Sai, n'était pas une promenade facile ni agréable, même en 4 x 4.

En fait, la chaussée, traversant des paysages plats, doux et paisibles, était en plein chantier. C'est dire qu'elle était devenue un sentier démesuré et terreux, parsemé de nids-de-poule, ou plutôt des béances parfois impressionnantes entre lesquelles il fallait zigzaguer.

Le 4 x 4 faisait même, de temps à autre, des arrêts à cause de véhicules lents qui n'avançaient guère. Jean-Pierre, du côté passager, avait l'œil.

Prenant tous les risques, avec une habilité inouïe, je fonçai, pied au plancher, sur la piste dégagée qui s'ouvrait devant nous. Un frisson de plaisir envahissait tout mon corps.

– On se croirait au rallye de Paris-Dakar, lançai-je à mon compagnon de voyage, amusé.

Durant ce trajet plein d'embûches, nous croisions parfois des bulldozers géants et des tombereaux aux larges pneus crantés, à grosses sculptures pouvant mesurer jusqu'à trois mètres de haut, qui transportaient des tas de terre, insensibles aux petites voitures.

Quelques kilomètres plus tard, nous roulâmes enfin sur une route goudronnée, ornée d'habitations coquettes – belles maisons modernes en teck – ou typiques – cabanes sur pilotis.

Et nous approchâmes du centre du Triangle d'or qui marquait le point de rencontre symbolique des trois frontières : Birmanie, Laos et Thaïlande.

Nous arrivâmes dans une petite bourgade, endormie sur les bords du fleuve du Mékong, dont les 4180 kilomètres couvraient une bonne partie de l'Asie.

Après avoir garé notre 4 x 4 le long du trottoir d'un petit restaurant implanté sur la rive, nous allâmes nous installer sur une terrasse qui surplombait le Mékong. Devant les plaisirs de la table, des touristes européens et des familles d'origine japonaise discutaient joyeusement.

Le soleil déversait déjà sa lumière : la vue panoramique était fabuleuse.

De l'autre côté, surgissaient les montagnes ensoleillées qui encadraient le paysage typique de la Birmanie et du Laos.

Nous regardions couler le Mékong en contrebas sur lequel quelques piroguiers flottaient tranquillement, tout en sirotant nos boissons préférées et en savourant notre déjeuner.

C'était parfaitement reposant.

*

* *

A quelques pas de là, un chemin nous mena jusqu'au belvédère avec un portique.

GOLDEN TRIANGLE

Et dont le fronton était bardé d'une carte en mosaïques colorées représentant la jonction des trois frontières, qui avait été construit face au Mékong.

– Tu te rends compte que c'est ici le seul point de rencontre des trois pays, m'avertit Jean-Pierre.

– Oui, c'est rare de se trouver dans un tel endroit où on peut admirer les différents paysages typiques des trois pays !

Environ la moitié de l'opium illicite consommé dans le monde venait de ce fameux Triangle d'Or !

C'est une vaste zone montagneuse et boisée, occupée par des seigneurs de la guerre, héritiers du Kuo-Min-Tang, qui avaient fui la révolution chinoise de 1949. Sa position géographique et son décor naturel en faisaient un endroit propice aux échanges illicites et notamment à la contrebande de l'opium. Des minorités ethniques de montagnards s'étaient longtemps disputés le contrôle de ces activités rentables.

Certes, une loi de 1959 avait interdit la production du pavot, mais les profits étaient tels qu'il semblait difficile de contrecarrer ce fonctionnement, lié aux intérêts de groupes armés et à des mafias.

Au début des années 70, le roi Bhumibol Adulyadej avait lancé un plan de développement pour donner aux montagnards des cultures de substitution : café et tabac.

Quant à l'opium, le pays n'en était plus officiellement producteur. Mais la région du Triangle d'Or, entre la Thaïlande, le Laos et la Birmanie, resta un important lieu de trafic.

Ensuite, nous flânâmes, toujours à pied, dans le village, le marché, au milieu d'une série de stands d'artisanat et de boutiques en planches remplis de babioles, de beaux vêtements brodés, de poupées colorées et de T-shirts. Les vendeurs et les vendeuses, joliment costumés, se précipitèrent vers nous, gesticulant et parlant, nous tirant par la manche.

Ce ne fut qu'en fin d'après-midi que nous reprîmes le chemin de retour en direction de Chiang Rai.

Le long de la route, des femmes, le chapeau de paille vissé sur leur tête – indispensable lorsque le soleil était brûlant pendant la saison sèche –, le dos courbé et les pieds dans les eaux boueuses, travaillaient d'arrache-pied dans les rizières.

Occupant près de quinze pour cent du territoire thaïlandais, les plantations de riz dominaient les paysages du pays jusque dans les vallées du Nord, autour des villes de Chiang Mai et Chiang Rai. Bien qu'elle n'occupât que le septième rang des producteurs mondiaux, la Thaïlande demeurait néanmoins le premier exportateur de riz au monde : cinq millions de tonnes, soit un quart de sa production annuelle.

Une fois, nous arrêtâmes sur le bas-côté de la route pour les saluer. Certaines d'entre elles nous sourirent et nous firent un signe amical et chaleureux.

*

* *

A la nuit tombante, après avoir mangé gloutonnement dans un resto bon marché, nous pénétrâmes dans une discothèque qui se trouvait au rez-de-chaussée de notre hôtel.

A notre léger étonnement, il y avait peu de monde à l'intérieur.

Cinq minutes plus tard, attiré par ce qui se passait derrière Jean-Pierre, je jetai un coup d'œil discret.

A l'autre bout, tout proche de la porte de sortie, une jeune fille, au visage enfantin et aux cheveux longs tombant sur les épaules, qui discutait avec une autre, me regarda longuement au fond des yeux doux et tendres.

Quand je la guignai, elle continua à m'observer. Je me rendis compte qu'elle ne me quittait pas de ses yeux. Les minutes passèrent.

Après avoir parlé de tout et de rien avec Jean-Pierre, mes paupières bougèrent. L'envie de dormir m'obligea à quitter cette boîte de nuit silencieuse, ennuyeuse et toujours vide de monde.

Alors que j'avais rejoint le palier, après avoir emprunté l'ascenseur, qui menait à la porte de ma chambre d'hôtel, Jean-Pierre vint me retrouver et m'informa :

– La jeune fille d'en bas veut te parler.

– Pff… tu sais, j'ai baisé toute la nuit dernière alors j'ai besoin de me reposer, lui assurai-je sans hésitation.

– OK... Bonne nuit et à demain, me répondit-il.

Et il s'apprêta à descendre pour annoncer la mauvaise nouvelle à ma pauvre amourette.

Ce que j'aimais en lui, c'est qu'il ne me posait jamais de questions stupides.

*

* *

Au terme d'une nuit de sommeil profond, je me sentis beaucoup mieux.

Après avoir arpenté les rues étroites à Chiang Rai, nous partîmes pour Chiang Mai à bord d'un avion : une trentaine de minutes suffisait pour rallier ces deux villes.

Dans l'après-midi, nous décidâmes de nous offrir une nouvelle escapade à moto dans la région de Chiang Mai pour aborder le Doi Ithanon, le plus haut sommet du pays, fort de ses 2590 mètres d'altitude.

L'ensemble du massif s'étendait sur une superficie de 482 km2. Le Doi Ithanon fut déclaré réserve naturelle en 1960 puis parc national en 1972.

La haute montagne, c'est une autre aventure.

Après avoir quitté la ville animée de Chiang Mai, nous continuâmes la route qui gravissait et dévalait les collines verdoyantes.

Il faisait chaud, vingt-cinq degrés environ.

Jean-Pierre se mit à l'avant. Je le suivais à trois mètres d'intervalle.

Le parcours était, la plupart du temps, sinueux, avec un revêtement, en général, parfait.

A un bout de chemin, nous aperçûmes, sur le bas côté, deux buffles aux larges cornes tirés par un paysan, le torse nu, sanglé dans son pantalon noir et coiffé d'un petit chapeau rond. A ses côtés, un garçonnet, à l'allure campagnarde, l'accompagnait.

Ces animaux de trait, qui paissaient en toute tranquillité de l'herbe, étaient souvent utilisés pour le travail dans l'eau des rizières. Hors des périodes actives de travaux dans les champs, le buffle est un véritable compagnon pour l'enfant.

*

* *

Je me souviens qu'un soir, à Chiang Mai, nous avions mangé du buffle dans un restaurant *Le Café de Paris*, tenu par un Français, natif de Lens et retraité de l'Armée de l'Air.

Il avait quarante ans et semblait en pleine forme. Attiré par la chaleur tropicale, il était resté en Thaïlande et avait trouvé une siaminette, Pomme, qui lui avait donné une petite fille.

*

* *

Avant d'attaquer la montée longue de vingt-cinq kilomètres, nous prîmes la précaution de prendre le plein d'essence dans une petite station.

Au moment d'entrer dans le parc national, plongé dans le silence absolu, nous fîmes halte à une frontière.

Deux soldats de l'armée thaïlandaise, aux regards impassibles, sortirent d'une cabine et apparurent sur le bord de la route. Ils nous arrêtèrent mais nous laissèrent finalement passer.

Dès les premiers kilomètres de la montée, la moto de Jean-Pierre cala maintes fois. Après de multiples tentatives pour le redémarrer, le moteur marcha enfin à toute allure.

Nous gravîmes la montagne côte à côte et bavardâmes à cœur joie. Durant l'ascension, très peu de voitures nous doublaient.

Cette voie de montagne, qui serpentait en lacets jusqu'au point culminant, était impressionnante. Par endroits, la pente s'élevait de manière si abrupte que nos engins motorisés avaient du mal à garder sa cadence, ce qui nous énervait un peu.

A mi-chemin du sommet, la route ombragée, parsemée de sapins, gênait la visibilité. Les nuages devenaient de plus en plus menaçants et gris. Pas question de faire demi-tour. Nous voulions aller jusqu'au bout.

Plus nous progressions, plus la température baissait. Je stoppai quelques secondes pour enfiler le coupe-vent ; bientôt, Jean-Pierre le fit à son tour.

La pluie commença à tomber doucement pour finir par de grosses averses. Le froid et le vent nous brouillèrent les yeux.

Dans les derniers kilomètres, sur une chaussée mouillée par les trombes d'eau, nous fûmes trempés jusqu'aux os mais nous continuâmes tant bien que mal à rouler pour atteindre la cime.

Aveuglés par le déluge, nous franchîmes, enchantés, le Doi Ithanon et nous nous mîmes vite à l'abri.

Mince ! La vue panoramique n'était d'aucune beauté, brouillée par les mouvements de la pluie.

– J'ai froid… je suis tout trempé ! gémis-je en essayant de m'échauffer un peu.

– Moi aussi, on peut descendre maintenant ? demanda mon compagnon de voyage.

– D'accord ! On y va…

Quelques instants plus tard, nous enfourchâmes, frigorifiés, nos motocyclettes. Nous choisîmes de dévaler la pente à pleine vitesse afin de rejoindre la ville.

Dès les premiers lacets de la descente qui sillonnait dans un paysage gorgé de forêts, notre compteur se bloqua autour de cent-vingt kilomètres à l'heure. Le moindre nid de poule, la moindre pierre et c'était la chute certaine. Et sans casque !

Quel plaisir que de se laisser aller, profitant d'un peu d'air moins chaud, provoqué par la vitesse. Nos vêtements, alors mouillés, avaient été séchés par le vent de la descente puis par la chaleur et le soleil qui revenaient.

Retour sur Chiang Mai, nous retrouvâmes avec la douche et, après une courte soirée dans un resto, le lit.

TROISIEME PARTIE

Chapitre 11

Voilà déjà dix jours que j'avais mis le pied pour la première fois sur le territoire asiatique. Je m'étais habitué au climat tropical et humide dont la température, certains jours, avoisinait plus de trente degrés. J'étais bronzé et décontracté. J'avais l'air en forme. J'étais heureux ici. Tout allait bien.

Chaque jour nous faisait découvrir de nouveaux visages, de nouveaux sites, nous passions maintenant d'une ville à une autre, avec la curiosité émerveillée de touristes ivres d'air, de liberté et d'indépendance.

Direction le sud !

Cinq jours à Phuket. Histoire de trouver un havre de paix mérité après un périple dans le nord.

*

* *

En milieu de matinée, nous nous rendîmes à l'aérodrome de Chiang Mai ; il faisait un temps très couvert.

Sur le tarmac, peu avant le décollage, une jeune femme, âgée de vingt-cinq ans, nous regarda avec un demi-sourire ; ses cheveux étaient courts et sa nuque rasée, son visage pâle, ses vêtements plutôt cools ; elle avait l'air sérieuse.

Lorsque nous nous apprêtâmes à monter dans l'appareil, nous nous mîmes auprès d'elle pour engager la conversation ; en résumé, elle était une routarde suédoise, peu bavarde, qui cherchait seulement l'aventure solitaire.

Quelques minutes plus tard, l'aéroplane décolla efficacement puis survola très haut la terre thaïlandaise. Par la minuscule fenêtre, on ne distinguait évidemment qu'un ciel nuageux.

A cinq mille mètres d'altitude, Jean-Pierre me parla de tout et de rien. Puis j'essayai de me détendre, les yeux clos.

Après avoir sommeillé, j'avalai, comme tous les autres passagers, un repas savamment préparé à l'avance comme on en trouvait dans un self-service.

Un instant plus tard, Jean-Pierre, qui était alors placé tout près du hublot sur le côté gauche, me donna un léger coup de coude, l'air étonné.

– Vite, regarde par là !

Jean-Pierre s'écarta un peu pour que je puisse jeter un regard curieux. D'emblée, je fus frappé d'admiration, voyant quelque chose de sublime.

– Ah ! C'est le delta de Bangkok ! m'exclamai-je.

Moment de vue aérienne, épatant et intense. Un sentiment que partageait Jean-Pierre.

Il est difficile à croire qu'on pouvait le voir aussi nettement à bord d'un avion à plein régime.

Une heure de vol plus tard, je collai à nouveau mon nez contre le hublot ; j'observai cette fois les rivières qui parcouraient les terrains environnants, créant des îlots, tout un paysage spongieux d'eau et de verdure. Loin à l'horizon, on distinguait la mer à perte de vue.

Au bout de quelques secondes, une charmante hôtesse de l'air s'approcha de nous et nous fit comprendre d'un air sérieux que nous allions bientôt atterrir.

– Attachez vos ceintures. S'il vous plaît…

*

* *

A notre arrivée à l'aéroport de Phuket, juste avant de monter dans un minibus « limousine » qui nous conduirait jusqu'à *Patong Beach*, nous obtînmes de l'argent liquide en échange des chèques travellers.

Baigné par l'océan Indien, sur la côte ouest de la péninsule, Phuket est une île qui s'étend sur cinq cents cinquante kilomètres carrés, reliée au continent par le pont Sarasin, situé au nord.

Forte de ses soixante-dix plages de sable blanc et d'innombrables îlots, Phuket a subi un développement rapide du fait de sa proximité avec la terre ferme.

Depuis le début des années 80, les hôtels et auberges se sont multipliés sur toutes les plages de Phuket.

Elle compte parmi sa population les plus riches agriculteurs de Thaïlande ; ceux-ci ont fait fortune dans les plantations de cocotiers et d'hévéa.

Après quarante kilomètres, le long véhicule nous déposa devant une soixantaine de bungalows bleu et blanc, ombragés par des pins et des cocotiers.

De là, un peu à l'écart de l'agitation de la ville, il suffisait de traverser la route pour se trouver sur la plage la plus célèbre de Phuket.

Sitôt descendus du minibus, nous nous dirigeâmes vers l'accueil pour prendre les clés.

Peu après, nous nous installâmes dans un bungalow face à face ; l'intérieur était garni et agréable. Après avoir défait ma valise, je m'imaginai que nous alternerions visites et farniente dans cette île.

*
* *

Cet après-midi-là, en marchant sur la plus belle plage de l'île, nous croisâmes des Japonais, des Italiens, des Allemands et des Américains, qui, visiblement, étaient heureux de se baigner, de s'exposer au soleil et de se promener sur le front de mer.

Le site était ravissant : une baie entourée de collines escarpées couvertes de végétation tropicale et de bananiers. Les vagues étaient calmes et douces.

Puis nous entrâmes dans une agence de voyages avec une réelle envie de réserver des excursions, loin de Phuket : la baie de Phang Nga et l'île Phi Phi.

Nous ne nous privâmes pas de la moindre chose qui nous intéressait.

– Je ne comprendrais jamais pourquoi certaines personnes préfèrent attendre leur retraite pour courir le monde, constatai-je.

Jean-Pierre acquiesça.

– A cet âge, on n'a plus la même énergie.

– Et on ne vit qu'une fois ! repris-je avec philosophie.

Bien souvent, autour des repas du soir, nous discutions du programme de la journée à venir ; nous nous mettions la plupart du temps d'accord.

Assuré de sa compétence et de son expérience irréprochable, je lui faisais entièrement confiance pour la suite du voyage.

*

* *

Aux alentours de 16 heures 30, nous voulûmes continuer notre marche mais vers le quartier chaud.

La nuit commençait à tomber ; les bars des désirs - disons bars à hôtesses -, étaient si serrés qu'ils n'en formaient qu'un !

Bref, ce n'était qu'une enfilade de bars en plein air ; des enseignes multicolores s'allumaient une à une.

Je remarquai des filles sexy, à la mode, aux formes arrondies et aux sourires charmeurs. Elles étaient accompagnées d'Allemands et d'Anglo-Saxons ; elles rigolaient avec ces touristes blancs, mâles, occidentaux, riches et dominateurs.

Certains d'entre eux leur tenaient la main, d'autres les prenaient par la taille.

*

* *

Lorsque le regard des femmes tourna en ma faveur, Jean-Pierre me félicita pour la première fois de mes succès auprès des Thaïes, quel que soit leur taille et leur âge.

Lui aussi avait été conquis en voyant celles qui se dirigeaient vers moi.

– Je n'ai jamais vu autant de femmes t'approcher…

Je fis la moue et il continua à me parler.

– … Ici, tu n'auras aucun problème pour les baiser tous les jours !

Mais, j'étais quand même un peu gêné de ses appréciations.

Je me crois narcissique mais je vous assure que mes voisins européens le sont bien davantage.

Et comment pouvait-on résister aux charmes des jolies femmes asiatiques ?

Par quel moyen pouvait-on lutter contre la tentation ?

Puis, comment aurais-je pensé à autre chose quand on s'infiltrait dans les quartiers chauds et quand on entrait dans des discothèques remplies de belles filles sensuelles et attirantes ?!

*

* *

Un peu plus tard, du coin de l'oeil, j'aperçus une jeune fille qui me faisait signe d'entrer dans un bar presque vide à cette heure non tardive. Après un moment d'hésitation, nous y pénétrâmes.

Elle portait un chemisier blanc décolleté avec une jupe très courte qui moulait merveilleusement son fessier ; en outre, je pus découvrir largement la forme et le volume de sa poitrine.

C'était une séductrice au charme pétillant, débordante de gaieté et d'énergie positive.

Elle m'invita à m'asseoir sur une chaise haute comme on en trouvait dans les bistrots ; elle fit des ronds de jambe en me lançant des baisers et des petites caresses. Elle ne me quitta pas du regard.

A cet instant, elle désigna mon compagnon de voyage et m'interrogea en levant un sourcil interrogateur :

– *It's your daddy ?*

J'écarquillai les yeux, lui répondis en secouant la tête.

– *No !*

Elle paraissait à la fois ébahie et soulagée.

– *My friend !* ris-je de plus belle.

Soudainement, un homme maigrichon, l'air mystérieux et un Polaroid attaché à son cou, nous montra son python qu'il portait fièrement.

C'est un serpent d'Asie, non venimeux, pouvant atteindre dix mètres de long et un poids de cent kilos ! Grâce à sa forte corpulence, il peut sans peine étouffer ses proies dans ses anneaux.

Méfiant, je n'osai bouger mais ce passionné de reptiles me sollicita pour le prendre au-dessus de mes épaules et me faire photographier.

Je réfléchis un moment puis finis par accepter.

Devant l'objectif, je gardai, malgré tout, mon sourire jaune. Cet énorme animal était impressionnant de taille et de poids : il me donnait froid dans le dos.

Et l'homme se retira avec un billet en bahts, après m'avoir remis ma photo.

Au moment où je finissais ma boisson d'un trait, je devinai que ma nouvelle conquête féminine n'avait pas envie de rester ni de poursuivre notre conversation avec Jean-Pierre ; elle me supplia de l'amener jusqu'à mon bungalow.

Les yeux dans les yeux, j'acquiesçai volontiers et abandonnai Jean-Pierre qui passerait le reste de la soirée en solo.

Une fois dans la chambre à coucher, après avoir tiré les rideaux et branché la clim à fond, je posai mes mains sur ses seins et sentis ses tétons durcir.

Elle ôta promptement son soutien-gorge et sa culotte, s'installa sur le lit et commença à défaire les boutons de mon pantalon en toile.

Puis elle mania doucement mes couilles et mon sexe qui était déjà bien monté.

Je me rendis compte que j'allais jouir ; je m'écartai un peu puis attrapai un préservatif qui se trouvait sur la table de nuit. J'étais très excité et réussis à l'enfiler sur le long de ma bite.

J'éprouvai une grande attirance pour le corps de cette femme.

Elle écarta les cuisses et se pencha en avant, s'appuyant au devant du lit. Je la pénétrai d'un seul coup, sa fente poilue était humide et ouverte. Puis je commençai à aller et venir en elle sans interruption jusqu'à l'éjaculation.

Complètement vidé, je dus m'allonger sur le dos, admirant la nudité de la jeune femme.

Peu après, dûment vêtue, celle-ci quitta mon bungalow sans un regard en arrière. J'allais dormir à poings fermés.

Chapitre 12

Le lendemain matin, le ciel était totalement dégagé, d'un bleu intense. Après avoir avalé un petit déjeuner copieux, nous louâmes des petites 110cc, largement suffisantes pour nous permettre une longue promenade à travers l'île.

Les collines et vallons recouverts de jungle occupent le centre de l'île, tandis que les plus belles plages sont regroupées sur la côte ouest.

Quelle chouette balade en perspective !

Après nous être faufilés dans le trafic matinal, nous nous dirigeâmes vers *Phuket Town*, dans le sud-est de cette région. A proximité de la ville, nous repérâmes une buvette en préfabriquée dans laquelle nous allâmes nous désaltérer.

Puis, après avoir mangé sans appétit, nous déambulâmes dans la ville où il y avait peu de choses à voir : quelques vieilles maisons, des boutiques d'artisanat et les banques… et, rien de plus !

Il était 14 heures 30 ; c'est sans regret que nous reprîmes la moto, direction plein sud, pour une virée en bord de mer.

Fini le confort des routes asphaltées !

Nous dûmes slalomer dans des chemins sentiers abîmés par l'orage, les pluies diluviennes. Il y avait des nids-de-poule et des crevasses, parfois sur la moitié de la chaussée.

Par moments, je réagissais par des éclats de rires.

La moto, c'est parfois dangereux, mais j'aimais cette sensation de liberté, pouvoir m'arrêter où je voulais, quand je voulais. C'est le côté débrouille, hasardeux, qui est exaltant.

Au moment où, dans une descente escarpée, nous avalions à vive allure les chemins terreux, bourrés de fissures et de trous, Jean-Pierre fit une incroyable cabriole dans le fossé, au détour d'un virage serré.

Ne pouvant pas l'apercevoir à temps, je m'arrêtai net et lui demandai.

– Ça va… ?

Il se débarrassa vite de son sac à dos et me regarda.

– Oui, oui… Je me suis trompé de freinage ; j'ai appuyé sur la pédale au lieu de freiner avec la manette du guidon, me dit-il simplement avec un demi-sourire.

Il s'en tira avec quelques écorchures au coude et aux gambettes droits. Plus de peur que de mal !

Fort heureusement, après vérification rapide, le moteur n'avait pas été endommagé.

Quelques minutes plus tard, Jean-Pierre regagna la route encore luisante d'humidité, avant d'emprunter le macadam, tout en respirant l'air marin, le long de la corniche.

La fin de notre parcours se déroula en toute tranquillité sur ce ruban d'asphalte tortueux : il faut dire que, là encore, la vue était époustouflante sur les plages de rêve de la côte ouest.

*

* *

En rentrant sur *Patong Beach*, nous décidâmes d'accéder à un circuit automobile.

En fait, c'était une belle piste pour les pilotes de kart.

Les karts figurent parmi les plus petites voitures de course ; le karting est donc l'une des formes de compétition automobile les moins chères. Les courses sont passionnantes et permettent au conducteur de tester ses talents de pilotage ainsi que son audace.

On sait également que de nombreux pilotes de course, en particulier de Formule 1, comme Alain Prost et Ayrton Senna, avaient d'ailleurs commencé par le karting.

Pris de passion pour ce drôle de bolide, nous voulions à tout prix l'essayer au moins une fois, pour un prix modique.

Dès que nous pénétrâmes dans un stand, le patron du Karting de Phuket nous accueillit à bras ouverts avant de nous guider clairement.

C'était un Allemand pur : les cheveux blonds, une silhouette longiligne et le regard franc. En outre, il représentait parfaitement l'image d'un patron aisé et dynamique.

Pas besoin d'être titulaire d'un quelconque permis de conduire pour piloter un kart : le bolide s'apprivoise en moins de temps qu'il ne faut pour l'écrire.

Le principe est simple : deux pédales, une à droite pour accélérer, une à gauche pour freiner, l'embrayage est automatique. Le siège est tout juste assez large pour que je puisse m'asseoir au volant.

Bref, c'était une petite voiture simple et légère, mais suffisamment solide pour pouvoir supporter le poids de notre corps.

Un jeu d'enfant ?

Pas vraiment, quand on sait que le minuscule véhicule, installé à trois centimètres du sol, peut atteindre les quatre-vingt-dix kilomètres à l'heure !

Dangereux ?

Pas le moins du monde.

Tout était prévu pour sécuriser au maximum les débutants sur le circuit avec des pailles installées sur le contour des virages. Le casque était d'ailleurs obligatoire pour chaque pilote.

Il faisait un temps couvert ; il y avait encore quelques pilotes qui continuaient de courir sur le circuit.

Alors, pour nous, la course pouvait commencer ; Jean-Pierre partit comme un boulet de canon. J'étais déjà en difficulté pour le suivre, surtout dans les virages. Il était terriblement efficace.

Au fil des tours, je renouvelai mon plaisir en appuyant sur le champignon.

A force de tourner sur la piste, nous ne faisions même plus attention au bitume qui défilait sous les pieds et nous nous habituions même à la direction sensible de la petite voiture de course.

Les tours de piste s'enchaînaient : virage à gauche, à droite, pointe de vitesse en ligne droite, freinage…

Pas de bosses, tout était plat.

Et nous prenions goût à la vitesse et à la compétition. En l'espace de dix minutes, les progrès furent énormes. C'est-à-dire que nous gagnions pratiquement dix secondes à chaque tour.

Hélas, le patron s'avança sur la piste et nous fit signe d'arrêter la course.

*

* *

De retour à l'hôtel, je constatai que j'avais pris de mauvais coups de soleil aux jambes. En m'asseyant sur le lit, je les examinai en grognant et vérifiai l'état de mes cuisses.

Mince ! Elles avaient bien besoin d'être couvertes de crème ; cela dit, j'avais complètement oublié de les protéger.

La peau était impressionnante de rougeur, sinon brûlée ; elle était affreuse à voir. C'était quand même inquiétant.

Sitôt la douche terminée, j'enduis de pommade, avec une délicate concentration, mes cuisses amochées. De bout en bout, je dus serrer les dents. Lorsque je voulus enfiler mon pantalon, je sentis une forte douleur aux plaies.

Immédiatement, je me dis que je ferais mieux de rester à l'ombre et d'attendre la cicatrisation. Mais, vues les prochaines destinations à effectuer, je n'avais pas le choix.

*

* *

A la brune, nous sillonnâmes inlassablement les ruelles de *Patong*, flânant devant les restos. Les touristes avaient déferlé sur *Patong* ; une foule chamarrée envahissait chaque soirée toutes les venelles.

Je commençai à avoir faim ; nous dégotâmes un bon petit restaurant. Une délectable odeur de fruits de mer excitait agréablement les narines et nous attirait.

A l'entrée du restaurant, devant un rayon soigneusement rangé avec des glaçons comme on en voyait dans les grandes surfaces en Europe, nous pûmes choisir une riche palette de poissons, coques, moules, huîtres, crabes, langoustes et crevettes. Le prix était affiché partout.

Ensuite, le restaurateur pesa ce que nous avions choisi. Et nous sûmes combien nous allions payer pour chaque plat. Par contre, la préparation, le couvert et le service étaient gratuits.

Au plafond du restaurant, de grands ventilateurs de bois tentaient en vain de rafraîchir l'atmosphère torride.

La salle était comble : la majorité des tables était occupée par des couples composés d'un Occidental et d'une Thaïe.

Après un bref regard circulaire, nous nous installâmes à une table ronde ; cet endroit était plaisant.

Tranquillement attablés, nous échangeâmes un peu d'histoires de cul.

– J'ai connu une femme qui m'a sucé sous la table dans un resto parisien ! me confia Jean-Pierre.

Je restai bouche bée.

Peu après, nous changeâmes de sujet en parlant de l'amour vénal et des prostituées.

– Ici, on n'accuse pas les étrangers blancs d'être les responsables du développement de la prostitution. Toutes les capitales comme Paris, Manille, Tokyo, Hambourg ou Amsterdam ont déjà leurs quartiers chauds, me dit Jean-Pierre.

Il but une gorgée d'eau, réfléchit un instant.

– La prostitution en Thaïlande est beaucoup moins choquante qu'en France...

– Comment ça… ? intervins-je d'un air très étonné.

– Eh bien, avec la religion bouddhique, le rapport à la sexualité, au corps en principe, et à l'argent, sont vécus ici très différemment, expliqua-t-il. Je sais que personne, y compris le gouvernement thaïlandais, ne parviendra à abolir la prostitution.

Je ne répondis rien.

– Parce que se prostituer est le moyen le plus simple du monde de gagner beaucoup d'argent en si peu de temps, conclut-il.

Voyant que je l'écoutais avec zèle, il argumenta sobrement :

– A Bangkok, les prostituées gagnent mieux qu'un professeur d'université !

Aux tables voisines, les clients étaient tellement captivés par la nourriture qu'ils ne faisaient aucune attention à nous.

Après plusieurs minutes d'attente, un serveur, tout sourire, nous apporta des plats préparés par de grands cuisiniers thaïs qui travaillaient d'arrache-pied devant une fournaise dans l'arrière-salle.

Nous appréciions la délicatesse des mets, mariant harmonieusement le plaisir des yeux à celui du palais.

Le repas était appétissant ; je dévorai longuement, sans échanger une parole, la tête baissée. Je pris un plaisir extrême à engloutir cette nourriture.

– Il y en a bien trop, songeai-je en examinant mon assiette garnie de poisson grillé et de riz sauté.

Beaucoup plus tard, au moment où je finissais mon plat, je dis sincèrement ce que je pensais des prostituées à Jean-Pierre.

– Ça me rend parfois malade de voir ces travailleuses de la nuit, sans éducation, sans culture, sans autre expérience ; il n'y a que le fric qui compte dans leur tête. Le reste, elles s'en foutent complètement.

– Oui… mais il y a deux sortes de filles : celles qui travaillent seulement quelques mois ou un an, puis retournent chez elles avec leurs économies ; et puis celles qui doivent aider leur famille, me précisa Jean-Pierre en trempant sa cuillère dans la soupe épicée aux crevettes.

– Peu sortiront du trou, seules les femmes au caractère dur et égoïste y arriveront, reprit-il après avoir jeté un coup d'œil à son plat presque vide.

A la fin de ce savoureux repas, Jean-Pierre, qui se souvint avoir lu un ouvrage, m'informa que bon nombre d'Allemands ramenaient des femmes asiatiques dans leur pays.

– Mais, en Allemagne, il existe une association de protection pour les femmes asiatiques battues ! prononça-t-il avec un peu d'amertume.

J'en restai stupéfait.

C'était bien vrai : la veille au soir, en rentrant dans mon bungalow avec une belle môme, j'avais repéré une bande de carrures géantes aux cheveux blonds ; ils avaient l'air de s'amuser. Certains tenaient des canettes de bière.

J'avais profité de cet instant pour la taquiner si ça lui plairait de baiser avec un de ces jeunes boches insouciants et bourrés, en claquant les deux doigts.

Effrayée, elle me répondit, tout en faisant des grimaces.

– *No ! No !*

Chapitre 13

Les jours s'écoulaient et ne se ressemblaient pas.

Ce matin-là, le bus pour Phang Nga partait à sept heures et demie ; il y avait pas mal de monde.

Sous un soleil matinal mais déjà radieux, le véhicule géant nous chemina vers le nord du continent par le pont Sarasin puis continua sa route jusqu'au port d'embarquement situé à l'est.

Au débarcadère, le port s'animait, entre le va-et-vient des pirogues à moteur qui reliaient la baie de Phang Nga et l'arrivée d'innombrables autocars. Peu de temps après, en suivant les membres du groupe, nous embarquâmes.

Le bateau-mouche s'éloigna lentement du quai ; il y eut un moment de silence dans le groupe.

On commença par longer une épaisse forêt de mangrove où pullulaient naguère les gavials - crocodiles au nez pointu.

Et le bateau prit enfin le large pour pénétrer dans la baie de Phang Nga.

A perte de vue, de gigantesques formations calcaires, recouvertes de végétation, n'en finissaient pas de tomber à pic dans la mer.

De toutes les tailles, de toutes les formes.

Tout était immense, majestueux.

Jean-Pierre était enchanté, absolument enchanté.

De mon côté, j'étais émerveillé, une fois de plus, par le fabuleux paysage : les pitons calcaires, entaillés par l'érosion, me rappelaient la baie d'Along au Viêt-Nam. A la maison, je la regardais toujours avec admiration quand je feuilletais un catalogue de voyages.

Une légère brume couvrit quelques instants encore des îles escarpées ; la mer était toujours calme.

Plus loin, se trouvait la grotte de *Tham Lot* et son arche marine, sous laquelle nous passâmes en bateau. La base de ces totems de la mer avait été rongée par l'eau qui avait creusé des grottes mystérieuses.

Sur les extraordinaires parois abruptes et verticales qui nous surplombaient, des espèces botaniques rares s'accrochaient.

Après une courte croisière, on atteignit une île parsemée de deux collines dissymétriques et gardées par un rocher en forme de clou.

Il n'y avait pas de plage, mais une bande de sable envahie par les taxis jaunes « longue queue » ; des jeunes marins thaïs attendaient le retour de la clientèle des bateaux.

En descendant du bateau, Jean-Pierre m'interpella :

– C'est ici qu'on a tourné *L'homme au pistolet d'Or* !

– Je ne vois pas ce que c'est, déclarai-je, ignorant.

– Si, avec James Bond… le célèbre agent secret anglais.

– Ah ! Oui ! J'ai regardé une seule fois ce film et, ça fait bien longtemps que je ne l'ai pas revu.

A partir de là, je ne cessai pas de m'extasier devant le célèbre rocher qui semblait flotter sur les eaux d'émeraude, dans cette partie de la mer d'Andaman.

L'endroit, c'est vrai, était splendide.

Il était déjà 13 heures 30 ; le ciel, chargé de nuages, devint gris.

Après un détour de l'île de James Bond, le bateau-mouche accosta près d'un véritable village flottant de *Koh Pannyi*, qui s'appuyait sur de colossales falaises calcaires et qui était dominé par le minaret bleu d'une mosquée.

Une communauté de pêcheurs musulmans originaires de Malaisie - surnommés les gitans de la mer - vit, au ras de l'eau, dans des maisons en tôle ondulée et en bois.

En entrant dans un resto, la responsable du groupe nous fit signe de nous installer à une table réservée en compagnie des autres membres du groupe. Les repas étaient préparés à l'avance.

Nous préférâmes de ne pas engager la conversation avec les autres, peu amicaux. Et, mine de rien, les voisins de notre table se contentèrent de nous adresser un sourire. Au fond, ça nous arrangeait bien parce que nous n'avions rien à leur dire.

Bref, il n'y avait pas seulement des touristes français mais des Britanniques et quelques Asiatiques.

Malgré une nourriture trop pimentée et peu variée, je me forçai à manger et à boire.

Après le repas, le groupe se dispersa ; nous circulâmes entre les habitations et les boutiques sur des planches, alignées côte à côte, et matérialisant les rues.

A un moment donné, lorsque Jean-Pierre préféra se diriger vers la mosquée, j'aperçus de loin un groupe d'élèves en uniforme, s'asseyant devant des pupitres, en attendant l'arrivée de leur professeur. A ma grande surprise, ils ne furent pas gênés d'être assaillis par les touristes qui n'hésitaient pas à entrer dans l'école.

Et puis, je jetai un regard curieux dans l'autre pièce ; cette fois, il y avait un autre groupe de jeunots, toujours en uniforme, qui faisait la sieste par terre sur une longue serviette de bain.

Comme convenu, nous nous retrouvâmes sur un ponton pour remonter à bord d'un navire qui filerait sur les eaux bleutées en direction de Phang Nga.

De retour à terre, à quelques encablures de l'embarcadère, nous eûmes le rare loisir d'observer longuement une colonie de macaques, les uns assis sur leur derrière, les autres gambadant à quatre pattes ; certains nous envoyant de petits signes amicaux. Ils étaient environ une cinquantaine à loger dans une grotte. Quelques-uns ne s'enfuirent pas à notre approche, se contentant de nous regarder gentiment.

*

* *

Aux dernières heures du jour à *Patong*, nous nous baladâmes dans une rue composée d'échoppes, de magasins de souvenirs, de tailleurs et de - mauvais - restaurants.

Nous fîmes halte un moment pour entrer sans enthousiasme dans un bar. Autour d'une longue et étroite table carrée, plantée au milieu de la pièce, des chaises et des tables complétaient le décor.

Là, nous rencontrâmes trois soiffards ; nous nous assîmes accoudés sur le comptoir auprès d'un consommateur de taille moyenne aux yeux mi-clos et aux cheveux mal peignés.

La trentaine passée, il était en jean et vêtu d'une chemise douteuse ; il discutait avec le barman.

De l'alcool plein la tête, il paraissait complètement égaré dans ce bas monde. Je n'aimais pas trop les ivrognes mais je sentis que c'était un Français.

Tout en souriant, j'engageai amicalement la conversation.

– Vous êtes français ?

– Ouais et vous aussi ? me rétorqua-t-il.

– Oui, lui assurai-je avec fierté.

Pensif, il s'interrompit un instant. Comme il ne prêtait même pas attention à ma surdité, j'en profitai pour continuer le dialogue.

– Vous restez combien de temps ici ?

– Pff, je ne sais pas, je ne sais rien... trois ou quatre mois, répondit-il en haussant les épaules.

– Vous ne travaillez pas ? lui demandai-je aimablement.

– Non, répliqua-t-il, éméché, le regard de plus en plus fuyant.

Bref, ce type antipathique était un bon à rien, usé et vidé par les tropiques.

J'invitai des yeux Jean-Pierre à sortir du bistrot.

– Ici, il n'y a rien d'intéressant… à faire.

Et nous nous retirâmes après avoir vidé d'un seul coup nos verres et payé l'addition.

*

* *

A l'aurore, après avoir sauté dans un minibus – air conditionné – pour rallier le port de Phuket, nous empruntâmes un *Express-Boat* qui, tous les jours, reliait la ville à l'île de koh Phi Phi.

La durée de la traversée variait d'une heure et demie à deux heures, selon la météo ; ce jour-là, le temps était couvert comme la veille.

A proximité du rivage, un futur bateau de pêche se construisait lentement. D'autres chaloupes, plus petites, flottaient sur les eaux presque immobiles. Seuls et impassibles, des chalutiers aux couleurs bariolées, impressionnants de taille, ignoraient l'agitation alentour.

Coup de hasard : nous aperçûmes deux compères bataves ; seul le blondin, placide, s'avança vers nous pour nous saluer.

Le bateau voguait régulièrement sur des eaux calmes aux reflets dorés.

Sur le pont, nous étions entassés à l'instar des parisiens dans un wagon de métro aux heures de pointe. A dire vrai, ce n'était pas du tout drôle de nous retrouver dans ces conditions ; nous restions debout sans parler ni faire de gestes.

Beaucoup plus tard, lorsque l'*Express-Boat* s'approcha de la baie de l'île de Phi Phi, dans un décor paradisiaque, je m'empressai d'enjamber la coque du bateau.

Contrairement aux cartes postales, l'île de Phi Phi était loin d'être un lieu éblouissant à cause du nombre incessant du trafic des « longues queues » et des touristes.

Comment ne pas vous avouer que nous fûmes déçus par ce cadre étouffant et fleurant mauvais les vacances ?

Après la plage, nous optâmes pour une courte escapade à pied dans un petit village entièrement voué au tourisme, mais qui dégageait une atmosphère sympathique, avec ses maisons de bois, chapeautées de tôles ondulées.

Peu après, nous nous retrouvâmes autour d'une table frangée de petits plats de fruits de mer à la fois pimentés et salés ; l'ambiance dans la salle était un peu spéciale.

Malgré la présence des Hollandais, nous eûmes du mal à lier conversation avec le reste du groupe. Nous ne sûmes pas de quoi ils parlaient ; à force de lire sur les lèvres, nous pûmes comprendre par bouts ce qu'ils disaient.

Par moments, nous avions la tête ailleurs en prenant plaisir à déguster un par un les multiples mets proposés.

Cependant, je remarquai que les femmes du groupe étaient plus bavardes et j'avais l'impression qu'elles étaient joyeuses de se retrouver en pleine nature, loin du bruit des grandes villes.

Après cette bonne chère, je restai un moment pensif sur la plage animée, alors que Jean-Pierre continua à explorer les alentours de l'île.

*

* *

La journée se terminait par une plongée sous-marine pour ceux qui le souhaitaient.

Vers 15 heures, une chaloupe nous amena aux parages de l'île de Phi Phi ; en présence d'une dizaine d'intéressés, je me préparai pour une aventure marinière.

Tout en conduisant, le batelier bavardait avec deux jeunes occidentaux, aux regards curieux ; de notre côté, nous nous contentâmes d'admirer l'étendue de l'océan Indien.

En mer, le bateau jeta l'ancre ; quelques-uns, dont Jean-Pierre barbotaient déjà mais je préférai admirer un peu les alentours avant de plonger.

Après avoir pris un masque et un tuba, j'eus un instant d'hésitation puis je sautai dans l'eau azur et turquoise. Elle était chaude, limpide, délicieusement calme ; je nageai quelques brasses avec la tête sous l'eau.

Autour du bateau immobile, je découvris avec passion une faune sous-marine extrêmement riche par endroits. Elle était très abondante : il y avait une variété inimaginable de poissons tropicaux !

Une bonne trentaine de minutes plus tard, les moins pressés montèrent enfin dans le bateau. Sur le pont, j'en profitai pour discuter avec Jean-Pierre de tout ce que nous avions vu sous l'eau de mer.

– C'était bien, non ?

– Oh oui ! s'exclama Jean-Pierre, l'air totalement satisfait. J'ai vu de véritables ballets de poissons multicolores.

– Moi aussi… je n'avais jamais vu ça !

– Ces poissons-là sont très jolis à voir, ajouta-t-il.

– Oui, c'est fantastique.

Et, pendant le trajet du retour, nous partageâmes un petit moment notre joie, avant de retrouver l'ambiance nocturne de Phuket.

Chapitre 14

Forts de deux journées enrichissantes, nous avions bien besoin de nous reposer dans la journée avant de monter dans un car de nuit pour Bangkok.

N'allez surtout pas croire que nous étions très enthousiastes à l'idée d'effectuer un long déplacement. Quatorze heures de route !

Le bus climatisé, avec des sièges inclinables, qui roulait sans cesse depuis bientôt huit heures, pendant lesquelles j'avais dormi d'un sommeil léger et irrégulier, s'arrêta dans un village pourvu d'un bar, d'une épicerie et de toilettes publiques faiblement illuminés.

Il faisait encore nuit.

Tout heureux de se dégourdir les jambes, la plupart des passagers descendirent pour satisfaire un petit besoin naturel.

Et, un quart d'heure plus tard, le long véhicule reprit sa route.

*

* *

Dès notre arrivée à Bangkok en début de matinée, nous prîmes, aux alentours de midi, la direction de Pattaya avec une ligne régulière d'autocar.

Encore deux heures et demie de trajet !

Au fur et à mesure que nous nous éloignions de Bangkok, le littoral oriental du golfe de Thaïlande et ses villages paisibles nous faisaient oublier le gigantisme urbain et la pollution citadine.

Sur la route menant vers la Côte d'Azur siamoise, nous connûmes quelques bonnes frayeurs avec le chauffeur imprudent. Des fois, il doublait un camion attardé alors qu'une automobile venait en face et ça ne lui gênait pas !

En début d'après-midi, le car de Bangkok entra dans la ville de Pattaya.

Ce petit village de pêcheurs des origines avait disparu derrière les multiples complexes hôteliers et les magasins de luxe. Les bars, les boîtes de nuit, les salles de spectacle y foisonnaient.

La célébrité de Pattaya datait de l'époque où les militaires américains, pendant la guerre du Viêt-Nam, en avaient fait leur lieu de détente.

En l'espace de quelques années, Pattaya était devenue une station balnéaire très recherchée par les amoureux du soleil et les touristes avides de plaisirs nocturnes.

*

* *

Il ne nous restait plus que cinq jours pour se dépayser totalement.

A l'hôtel *Baiyoke*, dans le sud de Pattaya, fatigué par cette journée difficile, j'avais hâte de retrouver un lit pour m'allonger.

Après avoir déballé mes affaires, je me rendis compte que mon appareil photo était resté dans le fond du car.

– Merde ! Ce n'est pas possible ! m'écriai-je, troublé.

– J'ai pris pas mal de photos. En plus, la pellicule n'est pas finie..., prévins-je mon compagnon de voyage quand je le rejoignais en fin d'après-midi.

*

* *

A la tombée de la nuit, la ville de Pattaya était noire de monde alors qu'elle en était dénuée dans la journée.

Il était 23 heures. Elle ne dormait pas encore.

En principe, pour les virées nocturnes, je troquai mes bermuda et tee-shirt contre des vêtements classiques - chemise bleue avec manches roulées, pantalon blanc en toile, léger et bien coupé. Je me sentais irrésistible.

La jeunesse, quoi !

Dans *Marine Bar*, l'une des discothèques la plus fréquentée, je montai l'escalier en bousculant gentiment les gens, qui étaient assis sur les marches, plus ou moins abrutis par l'alcool et la came.

Je regardai avec amusement Jean-Pierre se perdre parmi les clients de la boîte de nuit.

L'atmosphère devenait chaude. La boîte puait le mélange de sueur, d'alcool renversé, de parfum bon marché et de fumée. Elle était peu éclairée avec de la lumière tamisée.

Lorsque je fis quelques pas discrets à travers la cohue, deux minettes, aux sourires charmeurs, s'approchèrent de moi et m'accrochèrent. Elles avaient une frimousse et un corps de pure adolescente, avec des yeux noirs et prometteurs ; elles me parlèrent avec animation et rigolèrent.

– Désolé, mes petites amourettes, je n'entends pas..., leur mimai-je avant de les repousser assez difficilement.

Cette discothèque sentait le lieu privilégié des gens de tous poils, des pétasses en tous genres, des travelos, des buveurs de bière, des alcooliques invétérés, des drogués, des loubards, des zombies et des fêtards noctambules.

Quel drôle de monde !

Au centre de la salle de l'étage, une nuée de danseurs se trémoussaient en écoutant la musique.

Il fallait s'y frotter pour faire chaque pas.

Je me plaçai dans le fond de la salle pour mieux repérer les jolies filles thaïlandaises au milieu de la marée humaine.

Je m'assis sur une longue banquette rouge et observai encore un temps ce milieu hilarant dont la principale activité à cette heure tardive se résumait à la drague.

Mais une odeur de cigarette me montait jusqu'aux narines. Alors, je m'installai dans un autre coin à l'abri d'éventuels gêneurs.

Peu après, arriva une fille d'Eve avec des seins d'une rondeur parfaite. Les cheveux longs et noirs, les lèvres sensuelles et maquillées en rouge, elle m'avait l'air d'un travesti.

Bref, c'était une personne d'une grande beauté et d'une grâce imposante.

D'un air provocant, cette sirène s'approcha de moi et murmura à mon oreille.

Elle me lança des mots auxquels je ne comprenais absolument rien. Faute d'un moindre éclairage, j'avais du mal à lire sur ses lèvres ce qu'elle voulait me dire en anglais.

Elle me lassa vite. J'étais fatigué de son baratin. Je cherchai à me débarrasser d'elle, devenue raseuse.

Mais elle m'accrocha tout en me caressant les jambes.

Pire ! Elle ne voulut rien savoir au fait que j'étais sourd !

Au prix d'un bel effort, je parvins à m'échapper.

Elle avait cru que le volume exagéré de la musique, qui répandait toute la pièce, m'handicapait, alors, j'étais tout simplement sourd de naissance et non un devenu sourd pour l'occasion !

*
* *

Mort d'inquiétude, je retournai, le lendemain, dès le lever du jour, à l'agence pour tenter de récupérer mon appareil photo.

Soudain, après avoir lu mon court message écrit en anglais, la dame me le tendit avec un sourire rassurant.

– Le voilà, semblait-elle me dire.

On l'avait trouvé sur le siège du fond du car, là où j'avais pris position durant le trajet.

– Ouf ! Personne ne l'avait piqué ! clamai-je.

*
* *

Il était 14 heures.

Sous un ciel triste et noir qui s'éclaircissait peu à peu, nous nous rendîmes dans une ferme de crocodiles, située à quelques encablures de Pattaya.

Après avoir laissé soigneusement nos cyclomoteurs derrière l'entrée principale, nous nous installâmes dans un stade ovale. Les tribunes étaient pleines à craquer d'un public coloré et chaleureux.

Devant les balustrades, l'eau sale et saumâtre circulait autour d'une piste cimentée. Une sorte de canal d'une largeur d'environ deux mètres ayant la forme d'une courbe fermée.

Sur le central, surgissaient de grands reptiles carnivores voraces, aux pattes courtes, aux mâchoires très longues et étroites.

Avec leurs écailles en dents de scie sur le dos jusqu'au bout de leur longue et épaisse queue, ils étaient d'une laideur repoussante.

Certains restèrent immobiles et silencieux sur la place ; d'autres se trouvaient sous l'eau.

Les crocodiles sont capables de survivre plusieurs mois sans manger. Quand ils s'enfoncent dans l'eau, des membranes empêchent l'eau de pénétrer dans les oreilles et la gorge.

Comme tous les reptiles, ce sont des animaux à sang froid.

De quoi donner des frissons aux nombreux spectateurs présents sur l'estrade, y compris nous-mêmes !

Enfin, un acrobate risque-tout, arborant un joli pantalon et un maillot sans manches de couleur rouge, qui devait réussir à faire ami-ami avec ses pensionnaires, apparut et salua le public.

L'assistance suivit, haletante et passionnée, le duel que se livraient le crocodile et l'homme.

Ce qui provoqua entièrement la trouille de la foule, ce fut quand l'animateur plongea sa tête dans la gueule du crocodile.

Soudainement, je demandai d'un air sérieux à Jean-Pierre :

– T'as déjà fait ça ?

– Non. Si ça arrive un jour, j'aurai la plus grosse peur de ma vie !

– Dis donc, t'as pas au moins envie d'essayer une fois ?

– Sûrement pas !

Et nous éclatâmes de rire.

Certes, ce fut un succès triomphal et le public ne ménagea pas ses applaudissements pour l'homme qui, pendant quarante minutes, nous avait fait assister à une démonstration palpitante avec les crocodiles, pourtant dangereux pour l'homme et le bétail.

*

* *

Au deuxième soir, nous pénétrâmes, sur le tard, dans *Marine Bar,* notre discothèque préférée.

A l'étage, une foule amassée de jeunots européens, américains et de jeunettes thaïlandaises habillées de fringues sexy, dansaient à fond.

Je me frayai difficilement un passage pour dénicher un coin tranquille dans cette vaste pièce ambiante et bondée. Tous les fauteuils et chaises étaient presque occupés. Ce drôle d'endroit ne désemplissait pas.

Je fis le tour de la salle et tombai sur une nana, à la figure métissée, les jambes longues et fines, une bouche large et sensuelle.

Elle se colla à moi et joua de son charme. Je l'écartai parce que je venais seulement d'entrer.

Celle-là, l'allure élancée, la silhouette de mannequin, revenait toujours me toucher. Les yeux dans les yeux, elle me fit une déclaration en pointant son index vers mon ventre.

– Tu es à moi.

Elle s'accrocha à mon cou et m'offrit ses lèvres.

Après l'avoir repoussé doucement à deux reprises, je ne tins pas longtemps. Son regard sensuel et insistant me bouleversa.

Peu après, nous nous éclipsâmes, main dans la main, vers la sortie pour rejoindre la chambre d'hôtel.

Sur le lit, sa main vint caresser mon dos. Je me déshabillai très vite ; elle ôta rapidement son soutien-gorge et son string.

Nous fîmes encore l'amour un peu plus tard, en fin de soirée, puis encore une fois dans la nuit, puis de nouveau le lendemain matin.

*

* *

Peu avant midi, ma nouvelle accompagnatrice souhaita rester avec moi. Elle décida de récupérer ses affaires chez elle pour faire route vers la plage avec nous et me pria de la suivre jusqu'à sa demeure.

Elle habitait au dernier étage d'un vieil immeuble plongé dans les ruelles de Pattaya. Jean-Pierre, en solitaire, nous attendit devant le porche de ce bâtiment.

Après avoir avalé rapidement l'escalier, nous rentrâmes dans un petit studio meublé d'un lit, d'une cuisinière aménagée et d'une mini-bibliothèque remplie de livres.

A l'intérieur, je découvris, avec stupeur, un beau brin de fille adorable en train de lire un bouquin enfantin sur le divan.

Les sourcils à demi froncés, je lui demandai, l'index pointé vers l'inconnue.

– C'est qui, cette adolescente ?

– *My sister*, me répondit-elle avec sourire.

Sur les murs de sa chambre, étaient affichées des photos de ses conquêtes masculines dont un Américain.

Elle semblait heureuse de sa vie, agrémentée de sorties nocturnes et de rencontres sans lendemain, s'étourdissant dans les boîtes de nuit.

Aussitôt, elle déballa ses vêtements de son armoire et les remplit dans un sac à dos.

Puis nous retrouvâmes Jean-Pierre qui allait nous suivre à moto en direction de la baie de Pattaya.

Là où nous voulions, à tout prix, nous reposer et profiter de la mer. Il n'y avait pas mieux pour nous détendre.

Après un dîner sur la terrasse d'une gargote proche du sable, nous nous allongeâmes sur la plage. Sourires complices, regards doucereux, chamailleries coquines, nous ne nous quittions plus, comme des tourtereaux.

De temps à autre, il nous fallut subir les assauts de quelques vendeurs de produits artisanaux ; mais, fort heureusement, ils n'étaient pas collants, on pouvait s'en débarrasser avec des sourires et des gestes désolés de la main.

Je me dirigeai vers le bord de mer ; l'eau était tempérée et agréable malgré l'absence du soleil. Je contemplai la mer et aperçus quelques dames, dûment habillées, qui batifolaient dans l'eau.

Quelques instants plus tard, un loueur de scooter aquatique nous proposa d'essayer ce machin à flotter sur l'eau de mer. Jean-Pierre et moi-même acceptâmes volontiers de goûter ce plaisir motorisé au lieu de passer une après-midi à ne rien faire.

A bord d'une moto flottante, équipé d'une bouée de sauvetage, je laissai ma compagne de plaisir sur la plage.

Sur les fronts de mer, nous effectuâmes de jolis pivots en arrière et accélérâmes au large. Puis nous fîmes demi-tour et jouâmes à tête-à-queue.

Heureux comme des poissons dans l'eau, nous savourions cette sensation réelle, unique mais forte lorsque nous avancions à toute vitesse au-dessus de l'eau. Ensuite, nous revînmes lentement vers le rivage.

*

* *

Au bout d'une journée et de deux nuitées passées en ma compagnie, ma partenaire préféra rejoindre sa petite frangine. Je supposai qu'elle n'avait pas l'intention de continuer notre aventure.

Certaines d'entre elles préféraient passer une ou plusieurs nuits à mes côtés, d'autres souhaitaient quitter mon lit sitôt l'acte sexuel terminé.

A chacun sa façon !

Cependant, à midi, quand j'allais ouvrir la porte de ma chambre, j'eus la surprise de découvrir, sur le pas de la porte, mon ancienne compagne.

Plus incroyable, elle m'informa qu'elle avait attendu pendant près d'une demi-heure en tambourinant à ma porte.

Hélas, je n'avais rien entendu ; je m'étais endormi comme un loir.

Pire ! Elle avait oublié que j'étais sourd !

Que voulez-vous que je fasse pour elle ?

Je l'envoyai promener en agitant la main en signe d'au revoir parce que je ne voulais plus la revoir.

Je m'éloignai de ma chambre d'hôtel, un sourire satisfait aux lèvres et le cœur en paix.

Chapitre 15

Les jours passèrent ; l'ambiance, le climat, le rythme de vie, les gens, tout cela nous dépaysa infiniment.

Chaque jour, après une équipée plus ou moins intéressante à moto dans les environs de Pattaya et une douche rafraîchissante, Jean-Pierre et moi, nous retrouvâmes, en début de soirée, dans un snack-bar, pour boire un verre, pour le plaisir du palais et pour nous raconter de notre journée vécue.

A la longue, nous étions devenus de bons copains.

Impressionné par l'étendue de ses connaissances, je l'écoutai avec intérêt comme un bon élève devant son professeur préféré !

Ensuite, nous passions une bonne partie de la soirée ensemble et avions pris l'habitude de nous rendre dans une discothèque animée par des travailleurs nocturnes, pour les jolies femmes qui s'y trouvaient.

*

* *

Ce soir-là, nous décidâmes d'entrer dans une maison close qui existait au bord d'une ruelle très passante.

A notre apparition, des sex-appeals s'avancèrent auprès de nous et nous emmenèrent jusqu'au canapé. Sous le regard impitoyable d'une maquerelle, deux serveuses particulièrement accueillantes et dévouées, nous sollicitèrent pour savoir ce que nous voulions boire.

La commande passée, une sirène était déjà dans mes bras et me demandait mon prénom. C'était une grande brune et mince, aux cheveux longs.

Bientôt, une autre prostituée débarqua à notre table. Elle avait une jolie croupe, de beaux seins.

L'une des leurs nous fit savoir qu'elle n'entendait pas comme nous ; elle nous salua en signes. C'était une femme plutôt mignonne et ronde.

A notre connaissance, cette fille publique était la seule sourde à exercer ce dur métier dans un mauvais lieu.

Contrairement à la sourde, ma conquête fit des efforts pour me parler et me faire comprendre.

En quittant cette maison de débauche, la sourde me mit en garde contre cette fillette.

Avait-elle été jalouse ?

Ou même déçue ?

Je lui fis un amical au revoir puis je payai la patronne pour faire sortir celle que j'avais choisie.

Quand un client voulait coucher avec une prostituée, il devait toujours avertir la tenancière en payant une somme avoisinant les trois cents bahts.

*

* *

Il n'était pas très tard et nous choisîmes d'assister au spectacle ouvert à tout public : la boxe thaïlandaise.

La connaissez-vous ?

C'est un sport de combat complet et dangereux.

Tous les coups sont admis. On peut utiliser pieds, jambes, genoux, mais il est interdit de mordre, de cracher ou d'empoigner son adversaire.

D'un côté, il y avait les parieurs et l'autre, les curieux et les spectateurs comme nous. Méfiant, je ne voulus pas jouer les pronostics avec les parieurs. Je n'avais aucune envie de prendre quelques billets à des malchanceux ou de rendre ma petite fortune à des chanceux.

Les jeux de hasard n'étaient pas mon point fort.

Situé au rez-de-chaussée de la boîte de nuit, l'ambiance dans l'enceinte était mirobolante. La fille, que j'avais fait sortir de la maison de passe, s'assit près de moi.

Sur le haut de la scène, des jeunes boxeurs thaïlandais, hauts comme trois pommes mais musclés, s'affrontaient sur le ring. Ils se tapaient violemment à coups de jambes, parfois de bras.

Tout petit, je me rappelle avoir admiré à la télévision des combats de catch à quatre, un peu imaginaires et truqués.

Ici, c'était tout le contraire. C'était du direct !

Alors que j'ignorais la boxe thaïlandaise jusqu'ici, elle m'impressionna fortement !

La brutalité et la rapidité des coups répétés et précis m'épatèrent. Ces meilleurs combattants de la planète pieds-poings étaient étonnants d'agilité, de souplesse, de force et de talents.

*

* *

De retour dans la chambre d'hôtel, je m'écroulai sur mon lit.

Mais la demoiselle avait pris, sans aucune gêne, une bouteille d'alcool dans le frigo pour l'ingurgiter... ce qui me rendait un peu perplexe !

Je lui ordonnai de ne pas la prendre sans mon accord. Elle acquiesça sans me regarder.

Puis elle se dévêtit à la va-vite et prit une douche.

A peine sortie de la salle de bains, elle insista pour que je lui verse du pognon. Je refusai à deux reprises.

Pour lui faire plaisir, je déposai la moitié sur le lit.

Mais elle n'était toujours pas d'accord. Elle voulait absolument du fric, la somme totale qu'il lui fallait.

D'un seul coup, je faillis perdre l'esprit et essayai de me contrôler.

Peu de temps après, devant son insistance, je lui tendis l'autre moitié qu'elle ramassa aussitôt comme une sauvage.

Elle se déshabilla de nouveau et me prit dans ses bras. Je commençai à caresser ses seins puis le reste de son corps mat.

Cuisses écartées, elle toucha ma bite pour la déplacer dans son vagin largement mouillé.

Eberlué, je stoppai net son mouvement. Elle voulait baiser sans capote ! Pas question de forniquer sans la moindre protection !

Je n'avais aucune envie d'attraper le sida ou une autre maladie sexuellement transmissible.

Elle était déçue. Drôlement déçue. Elle me décocha alors un drôle de regard, comme si elle se moquait de moi.

Après des va et vient, au moment de retirer ma quéquette, je vis mon préservatif éclaté ! J'en restai un moment ébahi, immobile.

Au lever du lit, elle osa, pour une deuxième fois, piquer dans le frigidaire une boisson alcoolisée qu'elle but à grandes gorgées.

Son haleine puait l'alcool. Bourrée, elle titubait de long en large dans la pièce.

Je fronçai les sourcils et, à bout de nerfs, je lui reprochai d'être folle et irresponsable.

Elle devenait une pauvre conne.

Elle se foutait de moi.

Elle se foutait complètement de moi.

Elle déconnait.

Franchement !

D'un air agacé, je la toisai puis je l'engueulai.

Avec intelligence et fermeté !

Quand même !

Et je la congédiai. Je pris son bras, l'attirai hors de la pièce et la poussai calmement dans le couloir, sur le chemin qu'elle devait retrouver.

– Soularde, va ! m'écriai-je.

Avec un sacré coup au moral, je tournai en rond, je me mis à arpenter la chambre et revins m'installer au bord de mon lit.

– Rappelle-toi, mon gars, la sourde t'avait prévenu qu'il fallait se méfier d'elle…

Oui, elle avait mille fois raison et j'aurais dû l'écouter !

J'avais été con. Terriblement con !

Puis je passai de longues minutes à faire défiler les images de cette scène affolante.

Mes sentiments étaient embrouillés, mélange complexe d'angoisse et de colère.

Pourquoi avais-je choisi cette saleté salope ?

Pourquoi cette fameuse capote avait-elle éclaté ?

Cet accident imprévu me donnerait bien un souci car, à cette époque, le sida touchait plus d'un million de prostituées en Thaïlande.

Peut-être que j'avais moins de chance que d'autres.

Vaincu par l'épuisement, je pus sommeiller quelques heures, malgré mes doutes.

*

* *

Après une nuit tourmentée, je pris un petit déjeuner tardif et ne pus m'empêcher de raconter brièvement ma mésaventure à Jean-Pierre.

Mon compagnon de voyage resta un moment silencieux. Puis il posa une main apaisante sur mon épaule.

– Ne t'inquiète pas ! me rassura-t-il. Toutes les filles qui travaillent dans des maisons de passe sont obligées d'effectuer le test.

Selon lui, je n'attraperai pas sûrement la terrible maladie. Je me sentis un peu soulagé avant de devenir optimiste.

En réalité, je me rendis compte à présent qu'avec les gaupes, il ne fallait pas faire n'importe quoi… mais toujours se méfier et avoir le bon coup d'œil.

Pourtant, les rencontres avec les filles de joie restaient des moments particuliers : un mélange d'engagement physique, de sensualité, de regards mutuels, de rires et une cascade de gestes corporels inhabituels.

*

* *

En fin d'après-midi, lorsque Jean-Pierre me parla d'un cabaret de transsexuelles, rare endroit au monde où l'on pouvait les voir avec un tel art, j'eus envie d'y aller sur le champ.

Un spectacle à ne pas manquer, disait-on.

Pour le plaisir des yeux.

D'ailleurs, on sait que les souffrances psychologiques causées par la transsexualité incitent parfois à avoir recours à un changement de sexe par la chirurgie.

Contrairement aux idées reçues, il n'est pas toujours facile de changer de sexe et d'identité. Avec, au programme, l'opération chirurgicale, les papiers à remplir, la réintégration dans la société... puis le temps d'accoucher d'une nouvelle peau et d'une nouvelle identité !

Dans une salle largement garnie, figuraient en gros des Japonais, des Chinois et des Asiatiques.

Du beau monde, quoi !

L'ambiance était joyeuse, pleine de vie, d'émotions, de surprise et aussi de mystères.

Parmi les spectateurs enchantés, je me sentais bigrement bien.

A ma droite, Jean-Pierre m'avertit de les scruter sur les planches.

Ainsi commença un drôle de spectacle.

Couleurs éclatantes, lumières multicolores, un vrai spectacle visuel. Le cadre était sublime et ébouriffant.

C'était plutôt une représentation chorégraphique en plusieurs tableaux mélangeant des danseurs et danseuses, habillées par des effets de couleurs magnifiques, virevoltant dans un synchronisme parfait.

Je restai bouche bée. Non, je n'avais jamais vu une attraction de grande qualité.

Ensuite, plusieurs séquences défilèrent, dans un registre différent, les unes après les autres. Elles nous emmenaient dans un voyage de rêves, qui enchantait autant les femmes que les hommes.

Comme un gamin émerveillé, j'avais les yeux rivés sur la soi-disant poupée vivante à qui il fallait de temps en temps remonter une manivelle derrière le dos pour la faire bouger.

Bref, un personnage, une tête, une silhouette de comédie maniant avec agilité et habileté des mouvements de bras et de jambes.

On ne pouvait contester la mise en valeur de leur corps, leur élégance. Leur féminité et leur manière de se comporter étaient étourdissantes.

Nous avions été, en cette belle soirée, interloqués et troublés devant ces belles créatures.

Pendant les ovations d'une assemblée admiratrice, je me ruai vers la sortie tout en essayant d'échapper à la marée humaine.

Sur le chemin du retour vers l'hôtel, le trafic fut chaotique.

A bord d'une moto, nous fûmes obligés de zigzaguer au milieu des voitures et des tuk-tuk.

Lorsque je m'immobilisai au feu rouge, j'aperçus deux adolescentes s'asseyant sur un scooter qui s'arrêtèrent à ma hauteur.

Elles me lancèrent des regards pétillants. Celles-ci s'adressèrent avec insistance à moi mais je ne pigeai pas un seul mot.

Alors, j'esquissai un sourire en leur faisant comprendre qu'elles étaient belles.

Après avoir adressé un clin d'oeil aux pépées bien roulées, je les laissai au démarrage pour filer à toute vitesse vers l'hôtel.

*

* *

Dès le lendemain midi, il était temps de penser à me préparer et à plier bagages pour monter dans un autobus à destination de Bangkok.

Chapitre 16

Nous voici dans le vaste centre urbain où s'entassaient, jour et nuit, des milliers de citadins. A l'hôtel *Nana*, nous appréciâmes un long moment de repos nocturne.

Dès l'aube, en cette dernière journée sur le sol asiatique, dans une rue très passante, nous saluâmes nos aimables amis sourds avant de les laisser tranquilles.

Avides de dégotter d'autres quartiers, nous nous retrouvâmes seuls et en profitâmes pour acheter des fringues. Les emplettes, dans les marchés, furent un petit plaisir, avec du marchandage.

– Ces produits sont de contrefaçon et les prix peuvent se multiplier par quatre pour les touristes étrangers, surtout les blancs ! me mit en garde Jean-Pierre.

– C'est vrai ?

– Oui… nous sommes, pour eux, symbole de richesse.

– Je comprends… maintenant.

– Ici, décidément, c'est vraiment le pays de la contrefaçon ! On y trouve de tout et surtout du faux : polos, montres, sacs, cassettes, CD, chemises, lunettes, bijoux…, argua-t-il.

J'ouvris des yeux ronds.

– C'est quand même incroyable !

– Oui… de plus, il est même facile de distinguer le faux du vrai. Ces contrefacteurs se moquent des normes en vigueur, ajouta mon compagnon de voyage.

Cependant, la contrefaçon pouvait mettre en danger la santé et la sécurité des consommateurs. Au risque de payer le double du prix du produit original, plus une amende si l'un d'entre nous deux se faisaient arrêter par les douaniers à l'aéroport, nous fermâmes les yeux comme si nous achetions des produits en France.

Alors, pour être honnête, nous nous contentâmes des vêtements et rien de plus sinon une belle montre.

Même si j'avais suffisamment de liquide, je m'amusai à marchander avec ces charlatans.

A l'aide d'une machine à calculer, je divisai toujours par deux le montant pour démarrer. A grands renforts de gestes, je fus ferme et je ne me laissai pas faire. S'ils refusaient, je me tirai.

Ce n'était pas un casse-tête mais il fallait parfois jouer le malin. Pour réussir, il faut toujours se considérer comme le futur gagnant.

Vu mon intransigeance et ma vigilance, ils acceptaient souvent la valeur que j'avais souhaitée. Une fois le marché conclu, je les remerciai en hochant la tête et en leur adressant mon plus beau sourire.

C'était aussi simple que ça.

Au risque d'être considéré comme un receleur, je réussis à obtenir une pile de polos au crocodile, une montre *Tag Heuer*, deux jeans Levi's et des tricots amusants avec des dessins sur Tintin à des prix relativement bas.

J'en suis vraiment désolé pour Messieurs les douaniers et les fabricants de fringues de haute marque que ces souvenirs n'amuseront pas.

En continuant sur la rue principale, au beau milieu du marché animé et chaleureux, je sentis qu'on m'approchait et, on me tirait par les bras, j'étais un peu énervé.

Jean-Pierre me conseilla d'ignorer ces bonimenteurs avant de me raisonner.

– Si tu te bloques pour cette personne, il y en aura dix qui vont arriver et ça ne finira jamais.

*

* *

Plus loin, j'avisai un homme vêtu d'une chemise froissée et d'un pantalon bleu marine amoché, luisant de crasse, sans bras ni jambes.

Il se déplaçait en skate-board. Avec une tête d'enterrement, il me lorgna comme s'il voulait me prouver sa grande misère.

Pour tout vous dire franchement, j'étais estomaqué.

Terriblement choqué !

Sous son regard privé d'un réel espoir, l'infirme me demanda désespérément l'aumône.

Pris de pitié pour ce malheureux sans feu ni lieu, je n'hésitai pas une seule seconde pour lui poser quelques pièces en bahts dans sa boîte de conserve soigneusement coupée et presque vide à l'intérieur près de son petit véhicule mobile.

Comme c'était injuste de voir ces handicapés physiques exclus et rejetés par la société !

Comment pouvait-on accepter de côtoyer, en pleine cité, ces délaissés, dans des conditions abominables et inimaginables ?!

Que faisait le gouvernement thaïlandais ?

Où en était la protection sociale ?

*

* *

La simple idée de s'éloigner de la Thaïlande nous emplissait d'une étrange amertume.

Quitter ce paradis, ce lieu différent de la France où le dépaysement était total !

En fin d'après-midi, après avoir mis le tout dans nos valises et rendu nos clés à la réceptionniste, nous nous dirigeâmes, à bord d'un taxi, vers l'aéroport.

Après les formalités d'enregistrement, nous nous assîmes sur des banquettes dans une salle immense, couverte et spacieuse de l'aéroport. Nous regardions de près les mouvements continus mais irréguliers de la foule composée de solitaires, de familles et de couples.

Quelques minutes plus tard, l'appareil s'envola assez difficilement. Et, peu après, nous fûmes à dix mille pieds d'altitude avec des images plein la tête, des yeux remplis de souvenirs et de moments inoubliables.

QUATRIEME PARTIE

Chapitre 17

De retour dans mon pays natal. On était au mois d'août. J'avais perdu mes repères et mes habitudes sur le territoire français.

Que ce fut âpre de renouer avec une vie ordinaire et régulière !

De temps à autre, des pensées, des temples colorés, des anecdotes, des moines bouddhistes rasés et safranés, des paysages variés, des femmes séduisantes, aimantes, sensuelles, parfois fuyantes et secrètes, défilaient dans ma tête.

Auparavant, ma vision était réduite aux livres, à la télévision mais elle s'élargissait petit à petit comme la croissance d'un enfant face au monde, terre des hommes.

A part une petite excursion à Londres pendant ma scolarité, je passais généralement mes vacances en France avec ma famille, à la montagne et au bord de la mer.

*

* *

Dans les jours qui suivirent mon retour, j'avais la peur au ventre, ce sentiment terrible qui ne vous quitte plus et qui vous empêche de dormir, quand je repensais à la capote éclatée de cette nuit à Pattaya.

Soucieux de nature, je plongeai dans l'inquiétude.

Aurai-je le sida ?

Mourrai-je jeune ?

Malgré une attente si tardive, je décidai, le cœur battant, qu'on me fasse le dépistage du sida.

Une semaine de peur profonde !

Ouf ! Un grand soulagement m'envahit !

J'étais séronégatif !

*

* *

L'année suivante, Jean-Pierre décida de retourner en Thaïlande et me proposa de l'accompagner.

Son nouveau programme me séduisait énormément.

Le Pont de la Rivière Kwaï et l'île de Samui plantée au cœur du golfe de Thaïlande !

Pour rien au monde je n'aurais raté une telle aventure.

Et personne d'autre ne pouvait faire ce choix à ma place.

A dire vrai, je n'en pouvais plus de la vie monotone et bien rangée que je menais.

Un torrent d'images inédites, de sensations à la mode et de découvertes dernier cri, voilà ce qu'il me fallait pour repartir de zéro.

Ainsi, j'étais devenu amoureux de ce pays asiatique… je rêvai de revoir, de ressentir, de mieux connaître la Thaïlande profonde et de rouvrir la porte de l'Asie.

Nous négligeâmes volontairement la région Est qui n'avait rien d'attrayant car elle était moins touristique.

Enfin, je réservai mes congés pour septembre, ce qui était rare depuis mon entrée dans le monde du travail.

Oui, je m'envolerai à nouveau pour Bangkok…

Chapitre 18

Trois mois plus tard, juste après avoir pris le TGV pour rallier la gare de Montparnasse, je retrouvai avec plaisir, Jean-Pierre, mon compagnon d'aventures, dans un avion de Thaï Airways International effectuant le vol direct Paris-Bangkok, où nous avions ainsi tout le loisir de bavarder à notre aise.

Onze heures plus tard, l'avion atterrit sans encombre sur la piste du gigantesque aéroport thaïlandais vers 6 heures du matin.

Le jour n'était pas encore levé ; après avoir franchi le contrôle des passeports et récupéré nos bagages, nous gagnâmes le hall d'arrivée de l'aéroport.

Comme à l'accoutumée, l'ensemble de mes affaires tenait dans une valise fermée à clef, à quoi s'ajoutait un petit sac à dos. Dans la masse des passagers de tous poils, je fus aux anges quand je reconnus l'odeur et le climat à la fois chaud et humide.

A la sortie de l'aéroport, nous repérâmes un conducteur de taxi qui nous emmènerait vers l'hôtel.

A première vue, le vaste chantier du futur métro aérien, permettant de limiter les épouvantables embouteillages, ne faisait pas pourtant le charme de Bangkok.

Vingt kilomètres plus loin, le chauffeur nous laissa devant un imposant bâtiment, le même que l'année précédente.

Devant l'hôtel *Nana*, des bagagistes papotaient entre eux avec animation. J'allai m'asseoir dans le hall d'entrée pendant que Jean-Pierre attendait les clés.

A ce moment, vaincu par le décalage horaire, je commençai à avoir du mal à garder les yeux ouverts.

Ayant pris un bon bain, je me dirigeai avec plaisir vers le lit. Et, moins de cinq minutes plus tard, je sombrai dans un profond sommeil.

*

* *

Cet après-midi-là, autour d'un dîner à base de riz et de poulet au curry, le bon vieux Jean-Pierre, qui chercha désespérément l'âme soeur, me fit une proposition intéressante mais compliquée.

– J'aimerais bien que tu m'aides à écrire en anglais pour les inscriptions et les échanges dans les agences matrimoniales.

Quelques secondes de silence suivirent cette déclaration.

– Tu es d'accord ?... Je sais que ce n'est pas toujours facile, reprit-il après un temps de réflexion.

J'acquiesçai d'un petit signe de tête et il enchaîna avec ces paroles.

– T'as vu mon âge, il est temps que je trouve une femme... je n'ai aucune envie de finir mes vieux jours seul, sans amour et sans enfants.

Comme bon nombre de célibataires, il avait choisi de provoquer le destin en fréquentant assidûment les soirées de célibataires, les agences matrimoniales ou en répondant aux petites annonces. D'autres, au contraire, préfèrent s'en remettre au hasard et attendent que Juliette croise leur chemin.

En ce qui me concerne, la deuxième solution me conviendrait le mieux. J'avais bien quinze ans de moins que lui.

Jean-Pierre était donc tenté par un mariage avec une Asiatique pour la ramener en France.

Il m'affirma que, lors de son premier périple en solo, il avait déjà rencontré quelques dames qui lui avaient demandé de l'épouser.

Pourquoi j'avais accepté de l'aider ?

Parce que je savais, pour l'avoir côtoyé, qu'il possédait un cœur énorme.

Malgré cette différence d'âge, notre amitié était un sentiment profond et d'un grand respect l'un pour l'autre.

Nos points communs étaient notre recherche de la liberté et notre quête de sensations.

D'agence en agence, nous prîmes plaisir à feuilleter des catalogues où figuraient les photos d'identité et les coordonnées de nombreuses demoiselles.

– Quelques-unes ont des raisons précises de fuir la Thaïlande ; d'autres sont en quête d'un bonheur conjugal, précisa Jean-Pierre.

En bon débrouillard, j'écrivais assez couramment l'anglais : cela nous permit d'accélérer les recherches et de faciliter les conversations avec les employés des agences et les élues.

Une tâche ô combien difficile !

*

* *

Il était 20 heures.

Pour me changer les idées, je décidai d'entrer dans un mini-bar au rez-de-chaussée de l'hôtel.

Les bars, discothèques et boîtes de nuit sont des lieux où l'on peut faire de surprenantes rencontres. Rien qu'un clin d'œil ou un regard mutuel et vous voilà partis pour une nuit d'amour.

J'étais arrivé depuis à peine dix minutes qu'une nana s'installa à mes côtés.

Juchés sur des tabourets de bar, nous bûmes une boisson fraîche en nous regardant dans les yeux. Les jambes croisées, elle prit ma main dans les siennes. Ses petits doigts fins se glissèrent sous ma paume. Elle décroisa les jambes et me regarda longuement.

L'air innocent, le visage grave et le regard froid, elle était pourtant très jolie. Je sentais son corps doux et parfumé.

Peu après, nous quittâmes cet endroit, main dans la main.

Arrivés dans la chambre, elle se déshabilla rapidement puis s'allongea près de moi sur le lit et nous fîmes l'amour sans un mot.

Cette fois, ce n'était pas avec une gueuse que je couchais mais avec une jeune étudiante de vingt ans qui avait bien besoin de gagner un peu d'argent pour pouvoir payer ses études universitaires.

Même après avoir joui, nous restâmes quelques minutes sans parler puis elle me quitta discrètement.

Et je laissai tout écraser par cet assoupissement bienvenu et réparateur.

Chapitre 19

Le lendemain, sitôt réveillé, j'allai dans la salle de bains pour une toilette rapide. En voyant sur le miroir, je découvris avec stupeur que mon cou était taché d'un énorme suçon.

Cette tache gênante, j'allais la garder durant une semaine ! Quand d'autres filles la voyaient, leurs yeux s'écarquillaient souvent pour me montrer leur étonnement sinon leur moquerie.

Après avoir trempé quelques tartines et bu un bol de thé dans un petit bar proche de l'hôtel, j'enjambai la rue et fit un geste au chauffeur de tuk-tuk pour qu'il m'amène vers le fleuve de *Chao Phraya*.

Sous un ciel voilé, je jetai un regard de gauche à droite, au bord de ce grand cours d'eau.

Soudain, un petit homme, le teint mat, surgit et s'approcha de moi tout en demandant ce que je voulais. Sans réfléchir, je lui montrai dans mon guide une photo du temple de l'Aube, *Wat Arun*.

Il avait bien compris ; il me dit, d'un air rassurant, d'attendre, deux cents mètres plus loin, l'arrivée d'un chauffeur d'une pirogue à longue queue. Je le remerciai.

Peu de temps après, je fis signe au pilote et lui décris, d'un geste rapide, le lieu. Puis j'embarquai sans problème.

Une bonne quinzaine de minutes plus tard, il me déposa en face de ce drôle de temple, fort de ses quatre impressionnants escaliers. Il avait été construit après la dévastation d'Ayutthaya lorsque Thonburi était devenue la capitale de la Thaïlande.

C'était aussi un monastère qui avait servi de chapelle royale au roi Taksin. Le tout était garni de tours majestueuses de soixante seize mètres de haut, entièrement recouvertes de faïences et de céramiques avec une série de terrasses soutenues par des rangées de statues de démons et de kinaris.

En gravissant l'escalier qui me donna un sacré vertige, il fallait se tenir à une corde. Il valait mieux ne pas regarder en bas !

Là-haut, je pus contempler le fleuve qui coulait tranquillement en amont et en aval et, mieux, des habitations incalculables qui s'étendaient au loin.

Il y avait autour de moi des Japonais et des Japonaises, les yeux bridés et allongés, avec leurs inséparables appareils photos. A ce moment, je pris plaisir à partager leurs sourires francs et amicaux.

De retour à l'hôtel, j'appris que Jean-Pierre avait enfin trouvé une jeune femme qui l'intéressait, malgré quelques difficultés. Afin de mieux la connaître, elle passerait plusieurs jours avec lui.

*

* *

En cette journée libre, nous allâmes revoir les sourds thaïlandais qui travaillaient dans le marché d'à côté.

Et nous passâmes la fin de l'après-midi en toute tranquillité avant de nous plonger dans de nouvelles aventures pour les prochains jours.

Le soir, je voulus – je ne sais pourquoi – jeter un coup d'œil et entrer dans un bar situé à quelques pas de notre hôtel.

Les vrais strip-teases et les spectacles se passaient à l'étage. En effet, la loi thaïlandaise interdit de montrer un téton au rez-de-chaussée d'un bistrot.

Après avoir cheminé tranquillement, nous gravîmes l'escalier et pénétrâmes dans un des nombreux bars, appelé *Hollywood.*

A l'intérieur, nous prîmes place face aux siaminettes qui dansaient en permanence sur une plate-forme rectangulaire qui surplombait le comptoir. Autour de celui-ci, quelques chaises hautes étaient vides et d'autres, occupées par des mâles.

Nous babillâmes et nous assistâmes à un spectacle qui exprimait la sensualité et qui éveillait le désir où les minettes, généralement jolies et légèrement habillées, remuaient en tous sens les jambes et le corps dans une salle éclairée aux lumières tamisées. Ce trouble me plaisait vivement comme à beaucoup d'autres hommes.

A un moment donné, je les observai machinalement puis je repérai, au milieu d'elles, une petite et mignonne fille qui me sourit.

Ce sourire qui en disait long !

Elle ne me quitta pas des yeux puis descendit et disparut.

Alors que je buvais une boisson, celle-ci, vêtue d'un tee-shirt court et d'une mini-jupe noire à pois rouges, avec un sourire joyeux montrant ses petites dents blanches, s'avança paisiblement vers moi, puis vint s'asseoir à mes côtés.

Je ne savais plus comment me tenir et m'efforçais de lui sourire naturellement. Elle avait peut-être senti qu'elle m'intéressait ; elle me surveillait sûrement du coin de l'œil.

Sans aucune gêne, elle me caressa l'épaule et s'engagea à me parler :

– …

– Pardon, je n'entends pas, répondis-je en m'aidant de mes mains.

Elle me sourit encore et me dit qu'elle se prénommait Nong.

– *My name is Erwan*, articulai-je, le sourire au coin des lèvres.

Nous ne nous parlâmes pas plus mais nous nous contentâmes d'échanger des sourires.

Pour lui faire plaisir, je lui offris à boire ; nos oeillades se croisèrent et nous suffirent puis nos mains se rejoignirent.

Au bout de quelque temps, elle décida de quitter le bar et me demanda de régler son patron pour la faire sortir. Epris d'un sentiment incroyable pour ma nouvelle maîtresse, je payai.

Et je m'éclipsai, emportant Nong par la main, après le premier versement en liquide, laissant Jean-Pierre et sa conquête en tête à tête.

C'était bien la première fois qu'une de ces femmes attirait pour de vrai mon regard.

Je la voyais comme une femme sereine et épanouie alors que je ressentais absolument rien avec les autres. Mes yeux suivaient tous ses mouvements faits de beauté et de féminité.

Enfin, nous regagnâmes l'hôtel. Il ne nous fallut que cinq petites minutes pour le rejoindre à pied.

La pièce à coucher, uniquement éclairée par une lampe de chevet, paraissait romantique. Enfouis dans le lit, Nong m'interrogea sur ma vie française, ma famille, mon travail.

En quelques mots, je les décrivis sur mon petit carnet. Je racontai ce que je pouvais.

Elle pointa son doigt vers mon cou et me déclara, un peu embarrassée :

– C'est quoi cette tache que tu as sur le cou ?

D'un air gêné, je finis par lui expliquer en mimes que j'avais couché avec une étudiante la veille.

Puis elle enchaîna notre conversation après un temps de silence.

– *You ? From Italy ?*

– *No ! No !* la rassurai-je avec mon large sourire.

C'est peut-être parce que je parlais beaucoup avec mes mains comme les Italiens ou avais-je l'air d'un Rital, alors que j'étais tout simplement un sourd français ?

Elle s'étonna de plus belle et me fixa :

– *You work ?*

– *Yes.*

Au moyen d'un crayon, je lui dessinai un ordinateur et, après un calcul mental et rapide, je lui notai la valeur de mon salaire en baht.

– *Waouh ! Very rich !* s'étonna-t-elle de nouveau.

D'un air curieux, elle continua à me questionner :

– *You travel in Thaïland ?*

Je descendis du lit chercher le programme préparé avec minutie par Jean-Pierre pour lui montrer. Elle le lut puis elle me regarda calmement dans les yeux avec un demi-sourire.

Je réfléchis un instant ; je n'hésitai pas à l'informer que j'étais déjà venu ici l'année dernière.

– Chiang Mai, Chiang Rai, Mae Hong Son, Phuket, Pattaya... Que de bons souvenirs !

Pendant un moment de silence, elle déchiffra attentivement le papier que je lui avais présenté.

– Tu es volage, m'interrogea-t-elle en signant de deux mains volant comme les ailes d'un papillon.

– *Yes... Yes*, lui répondis-je en faisant la moue.

A ma surprise, elle avait une bonne intuition contrairement aux jouvencelles que j'avais rencontrées auparavant.

A dire vrai, je n'aimais pas trop être dérangé par les femmes. Jusqu'ici, j'avais du mal à éprouver un élan de tendresse ou d'affection pour les femmes.

Mais à ce moment-là, j'avais découvert cette nymphe, qui mourait d'envie d'être chouchoutée et rassurée.

Et j'éprouvai de mon côté un immense plaisir à sentir dans mes bras ce corps féminin.

En même temps, je me demandai pourquoi elle avait décidé de se prostituer.

Pour arrondir ses fins de mois ?

Ou pour mieux vivre ?

*

* *

Tard dans la nuit, après de bonnes parties de jambes en l'air, elle m'écrivit avant de regagner ses pénates.

– *You come back tomorrow night in bar Hollywood ?*

– *Ok. No problem*, lui garantis-je avec grande joie comme un adolescent amoureux.

J'y devinai un désir qui me combla de satisfaction.

C'était le regard d'une femme prête à l'amour. C'était elle qui avait fait le premier geste.

Enfin, je retournai dans mon lit mais, en dépit de ma fatigue, je ne dormis que par bribes.

Chapitre 20

Ce matin-là, par un temps couvert, un bus nous emmena pour une promenade initiatique sur les klongs dans la partie ouest de Bangkok.

A bord d'un bateau à moteur, qui remplaçait la pirogue silencieuse d'époque, nous sillonnâmes le klong, vécu longtemps par la population comme la seule voie de communication.

Il servait aussi à l'irrigation avant que, avec l'aide américaine pendant la guerre de Viêt-Nam, n'apparaissent les autoroutes. Contrairement aux voies ferrées et routières, la Thaïlande dénombrait plus de trois millions de voies d'eau !

En compagnie de la nouvelle amie de Jean-Pierre, nous nous infiltrâmes dans une vie locale insoupçonnée.

Loin des gratte-ciel et de la circulation, nous découvrîmes des centaines de maisons de bois sur pilotis, des vieilles baraques bringuebalantes, des temples modestes, des tourbillons de fleurs flottantes, des petits commerces sur l'eau. Le tout enfoui dans une végétation exubérante.

Après avoir pris la berge à gauche le long du canal, nous arrivâmes enfin à Damnoen Saduak.

Là, commençait un dédale de canaux encombrés d'une multitude de barques qui transportaient des fruits, légumes, soupes, viandes, layettes et chapeaux.

Ce marché flottant, qui se tenait chaque jour entre 7 heures et 13 heures, permet d'imaginer à quoi ressemblait Bangkok il y a moins d'un siècle.

Par-ci par-là, une poignée de touristes de race blanche, les plus matinaux, étaient présents. Je m'arrêtai un instant et m'appuyai à la rambarde pour observer l'animation qui régnait sur le klong.

En manoeuvrant leurs petites pirogues à la pagaie, des femmes, coiffées d'un chapeau de bambou traditionnel et vêtues d'une veste bleue à manches longues, vendaient leurs marchandises.

Quand elles n'étaient pas accostées par les barques des clients, les marchandes allaient d'une rive à l'autre avec leur boutique flottante et se garaient au pied de pilotis des pavillons, au toit de chaume et souvent de tôle, qui bordaient le canal de part et d'autre.

Je fus carrément ébloui par ce lieu d'échanges de pirogue à pirogue.

Jamais de ma vie je n'avais vu cela.

C'était unique et très pittoresque !

Voilà pourquoi nous décidâmes de rester un long moment dans ce magnifique endroit fluvial. Oui, il était bien difficile de détacher notre regard de ce spectacle unique pour reprendre la route.

Ce fut, avec une joie douce et calme, que nous retournâmes sur Bangkok dans le milieu de l'après-midi.

*

* *

Ce soir-là, j'allai revoir ma conquête au bar *Hollywood.*

La nuit précédente m'avait paru magique. Je restais sous le charme de ma curieuse rencontre tellement inattendue.

Une fois entré dans ce bistrot, je vis son visage s'illuminer d'un sourire, le plus beau sourire du monde. Elle m'embrassa chaleureusement.

En une fraction de seconde, elle me tendit un petit bout de papier orangé.

Jamais une Asiatique ne m'avait écrit au moins une lettre.

Une lettre d'amour ?

Pendant ce temps-là, je lus dans ses yeux qu'elle recherchait une protection avec moi. Elle avait aussi besoin de tendresse et d'amour.

D'un air enamouré, je dévorai son manuscrit court mais avec une écriture soignée.

Hélas, il était écrit en thaï ce que je ne comprenais rien du tout. C'est dire que j'avais du mal à déchiffrer son message.

Ce morceau de papier, je le pliai et le mis précieusement dans ma poche.

Après quelques paroles échangées et quelques rires amicaux, nous décidâmes de rejoindre l'hôtel, main dans la main.

Lorsque j'arrivai dans la chambre, je relus sa belle écriture. Elle m'avait enthousiasmé et inquiété à la fois.

Avide de savoir de ce qu'elle voulait dire, je lui demandai si son souteneur pourrait la traduire en anglais. Elle accepta et s'en alla pour quelques minutes. Fort heureusement, le bar *Hollywood* ne se situait pas loin de l'hôtel.

A son retour, en lisant attentivement sa lettre traduite en anglais, je compris mieux.

*

* *

Je ne saisis l'essentiel de ce message qu'en France après en avoir sollicité la traduction en français à un restaurateur thaï.

C'était un véritable message écrit dans un style émouvant et peureux à la fois.

Bonjour Erwan.
Comment vas-tu ? Moi, ça va.
Je suis heureuse quand j'écris cette lettre.
Je t'aime et je pense beaucoup à toi. J'ai travaillé depuis déjà trois semaines mais je ne parle pas bien l'anglais. C'est difficile de

communiquer mais je vais faire des efforts pour apprendre l'anglais.
J'ai peur de ta famille car je suis Thaïlandaise et les Français disent du mal des jeunes filles thaïlandaises.
Je t'embrasse très fort et je pense beaucoup à toi.

Nong.

Tout cela était quand même surprenant : elle avait l'air d'une fille sérieuse.

*
* *

Pour notre seconde nuit, nous bavardâmes à cœur joie, avec aussi des franches parties de rigolade.

Puis je m'allongeai sur un grand lit pendant que Nong faisait sa petite toilette habituelle dans la salle de bains.

– Je l'aime bien... elle est gentille et... simple, marmonnai-je.

Cette jolie Thaïlandaise, née il y a vingt-deux ans, était une jeune femme douce, attentive, réservée, sensible et sentimentale.

Un instant plus tard, elle revint, ravissante et parfumée, en légers sous-vêtements qui montraient ses formes féminines. Elle avait aussi relevé sa chevelure pour paraître plus âgée et devenir plus femme.

Nong, les cheveux ramassés en chignon, me fit signe d'aller dans la salle de bains. A ma profonde surprise, l'eau de la baignoire était pleine et chaude.

– Je vais te shampouiner, me dit-elle d'un geste d'amoureuse.

– Non, non..., murmurai-je.

Un peu déçue, elle me laissa dans la grande cuvette sans rien dire ; je n'aimai pas voir une femme s'occuper à fond de son homme comme un enfant.

– Non, je ne suis plus un petit garçon ! me dis-je pensivement.

Sitôt la douche terminée, serviette autour de ma hanche, elle m'accueillit sur le lit et sourit en m'attirant sur elle.

Elle éteignit les lumières, préférant laisser la petite veilleuse allumée sur la table de nuit. Plongés dans les draps du lit, nous échangions des mots d'amour quand nos yeux se croisaient pour de bon.

– *I love you... I love you.*

Ma chère bien-aimée rit, visiblement aux anges, et ce fut pour moi un vrai bonheur de la regarder.

Elle enleva son soutien-gorge, laissant aller ses seins, fit vite descendre sa culotte le long de ses cuisses. Elle avança la main d'abord vers mon torse et caressa légèrement ma peau.

Puis, dans la foulée, nous plongeâmes dans de grands moments de délices, de jouissances et de plaisirs.

Chapitre 21

Quand je me levai, je sus, à cet instant, que j'étais amoureux d'elle. Et je la laissai encore endormie.

Sensation étrange et inhabituelle, j'éprouvai le besoin de rester en contact avec elle.

Avant de partir dans le milieu de l'après-midi pour la plus grande île du Golfe de Thaïlande, nous n'arrivâmes pas, comme tous les amoureux du monde, à se lasser l'un de l'autre et restâmes le plus longtemps possible enfermés dans notre chambre.

Nong admira le prénom et la date de naissance gravés au reflet de mon médaillon comme la jeune masseuse rencontrée à Chiang Mai.

– J'irai d'abord à Samui puis à Kanchanaburi. Je ne serai de retour que dans une semaine, la prévins-je d'un air enchanté.

Mais elle avait l'air sombre ; elle semblait déçue de me voir cavaler et souhaitait que je sois en permanence à ses côtés.

Rien ne m'obligeait à l'amener avec moi.

Pourtant, je pressentis que son absence allait me manquer.

Quelques jours plus tôt, j'étais l'homme qui vivait sans femme, celui qui ne cherchait pas à avoir une compagnie féminine dans sa vie.

Et, me voilà devenu l'amoureux d'une jeune Thaïlandaise !

Jamais je n'aurai pensé que j'allais trouver l'amour à dix mille kilomètres de ma terre natale.

*

* *

Bangkok et l'île de Samui étaient distants de moins de sept cents kilomètres à vol d'oiseau.

En l'absence de nos conquêtes féminines, après les dernières formalités accomplies, nous nous avançâmes sur le tarmac et nous en allâmes prendre place à bord du Bangkok Airways.

Quelques instants plus tard, l'appareil s'éleva puissamment et mit le cap sur Samui.

Quatre-vingt minutes après, à travers le hublot, nous n'apercevions plus qu'une vague de terre flottant sur la mer.

Quand l'avion s'apprêtait à atterrir sur l'îlot long de vingt kilomètres et large de vingt cinq kilomètres, mes oreilles me firent atrocement souffrir.

A ma droite, Jean-Pierre me conseilla :

– Prends un chewing-gum pour adoucir la douleur.

– Pff… je n'en ai pas, me plaignis-je en appuyant fortement mes mains sur les oreilles.

Peu de temps après, l'aéroplane se posa magistralement sur la piste bétonnée de l'aérodrome.

Lorsque nous descendîmes à terre, un véhicule envoyé par l'aérodrome vint se ranger au pied de l'escalier mobile.

Dans le hall, nous fûmes accueillis par l'air des tropiques. Une belle et jeune Japonaise nous sourit, je ne sais pourquoi, et nous lui rendîmes la pareille.

Des passagers déambulaient partout, les lunettes de soleil sur leur nez, avec de gros sacs de voyage. Des touristes et des visiteurs, l'air curieux et placide, s'acheminaient vers la sortie.

Pour la première fois de ma vie, j'allais séjourner longtemps dans une île.

Nous fîmes appel au chauffeur du *songthaew* pour nous amener vers la chambre à coucher, située non loin de l'aérodrome et sur le côté est de l'île de Samui, au *Central Bay Resort*.

C'était une camionnette bâchée à banquettes qui circulaient sans arrêt sur tout le pourtour de l'île de 6 heures à 17 heures 30. Pratique et rapide. Il suffit de les attendre sur le bord de la route et de leur faire un signe.

Après avoir sillonné les routes escarpées de l'île avec plusieurs arrêts, nous arrivâmes dans un magnifique ensemble de bungalows en dur avec une petite terrasse privative, alignés côte à côte, entourés de plantes et de cocotiers, sur plusieurs rangées menant à la mer.

Un lieu vraiment charmant et accueillant.

Chaweng Beach était la plage principale et la plus fréquentée de l'île. Trois kilomètres de sable blanc et fin, encadrés de flots d'un bleu azur. Elle était vaste, large et descendait en pente douce.

Clé en main, je me retrouvai seul à l'abri de ce bungalow. C'était une pièce moyenne, meublée d'un lit, d'une basse table ronde et de deux fauteuils, tout en rosier.

Dans ma chambre trop silencieuse, après m'être rapidement changé de fringues, j'admirai les photos de Nong que j'avais fait développer avant de venir ici.

Ma première soirée sans Nong fut morose.

Pour me distraire un peu, je me décidai pour une petite promenade nocturne en solitaire.

Il était 23 heures. La lune, presque ronde, éclairait un ciel noir.

Cette nuit-là, je ne parvins pas à fermer l'oeil. L'absence de Nong m'empêchait de trouver le sommeil.

*

* *

A l'aurore, nous pénétrâmes, à bord d'une moto de location, dans les faubourgs de l'île de Samui tandis qu'une petite pluie fine se mettait à tomber. Ses venelles étroites et sinueuses, ses minuscules échoppes et l'animation de ses cafés avaient conservé le charme et le caractère des îles.

Si loin, les habitants sont fiers d'afficher leur esprit d'indépendance vis-à-vis de la capitale.

Mais, après Pattaya et Phuket, il ne faisait pas de doute que l'île de Samui serait la prochaine victime du développement immobilier acharné que connaîtrait le sud de la Thaïlande, surtout avec la création de l'aéroport.

En dehors du tourisme et de la pêche, les habitants se consacraient principalement à la culture des noix de coco que des petits singes, dressés spécialement, cueillaient à maturité.

– Les noix de coco de l'île de Samui sont réputées les meilleures du pays, et on en expédie d'ailleurs deux millions par mois à Bangkok ! m'informa Jean-Pierre.

– Ah oui… mais je n'ai jamais aimé le goût un peu spécial des noix de coco.

*

* *

Aux environs de 14 heures, après cette petite sortie matinale à moto, nous nous installâmes sur une plage ensoleillée, bordée de palmiers pouvant atteindre trente mètres de hauteur et donnant des noix de coco.

D'un côté, bon nombre de touristes, chaussant des lunettes de soleil, bronzaient. D'un autre, quelques-uns prenaient un bain de mer. Plus près de nous, un groupe de jeunes, décontractés et insouciants, savouraient une partie de volley-ball.

Ici, les distractions ne manquaient pas.

Voilà pourquoi je fus tenté par une nouvelle activité sportive : le parachute ascensionnel.

Jamais je ne m'étais envolé au-dessus de la mer.

Pour payer moins cher, j'obliquai en direction d'un bar doté de longues tables en bois, des bancs et de l'inévitable marchande de vêtements de plage qui avait ouvert, à l'occasion, son magasin. Un billet à la main, je retournai sur mes pas.

Peu de temps après, sous les rires de Jean-Pierre, j'étais prêt, le parachute bien sanglé.

En face de moi, le hors-bord, qui allait me tirer vers les cieux, fit chauffer le moteur.

Un employé, au regard doux, souleva à tour de bras et à hauteur de sa taille, la voilure géante en toile de soie et couverte de couleurs claires et vives.

J'entamai alors ma course de vitesse sur le sable.

Je n'avais pas droit à l'erreur ; je devrais courir à toutes jambes sans m'arrêter, sans quoi je risquerais de m'enfouir dans l'eau de mer et de tout recommencer.

Après avoir rasé les flots, je ne sentis plus mon corps : j'étais dans l'air. A cet instant, ça vous donnait l'impression de voler comme un oiseau.

Tout en tenant le parachute, je m'en mis plein la vue. Le décor était magique avec l'immensité de la mer, un beau voilier étant ancré au large et, sur le côté terrestre, une jolie rangée de bungalows derrière les cocotiers et la longue plage de sable blanc animée par de minuscules personnes. Au-dessous de mes pieds, le hors-bord luttait contre le courant et les vagues.

Un peu plus tard, je fus de retour à la case départ. La lente descente au sol se passa en douceur ; je me laissai tomber dans l'eau tiède de la mer.

Bref, ce fut un grand bol d'air marin et une sensation enivrante bien que courte.

Sous les yeux rigolards de Jean-Pierre et d'un petit groupe de voyageurs en tenue de plage, je sortis difficilement de l'eau et l'employé vint m'aider à desserrer le parachute entièrement trempé.

Après toutes ces visions aériennes et inhabituelles, je pris le temps de recouvrer mes esprits.

*

* *

Une demi-heure plus tard, en nous rendant vers le centre ville, nous aperçûmes une animation qui attirait une poignée de vacanciers venant des quatre coins de la planète.

Face à cette petite assemblée, se trouvait un homme, d'origine américaine, beau, grand et brun, la mâchoire volontaire, une stature de sportif et un sourire bienveillant, accompagnée d'une Asiatique, menue mais très jolie. Il proposait pour un prix intéressant des sauts à l'élastique.

Et, derrière eux, il y avait un gars qui m'avait drôlement tapé dans l'œil. C'était un homme, jeune, gai, vif, simple et direct, souriant et plutôt charmeur.

Avec une coiffure de punk, petit, largement bronzé et musclé, il ne parlait guère mais gesticulait tout en effectuant des tâches : le démontage, le rangement et l'attachement des cordes du saut à l'élastique. A vue d'oeil, il était un travailleur plein de vitalité.

Nous réalisâmes alors qu'il était sourd.

Comme nous.

Un peu plus tard, il nous interpella et sembla très sincèrement heureux de notre présence. Volontiers, nous le saluâmes et échangeâmes amicalement quelques mots en langage gestuel.

D'un air malicieux, le prénommé Rambo nous conseilla d'essayer au moins une fois le saut à l'élastique.

Néanmoins, je n'avais pas l'intention de refaire l'expérience de m'élancer dans le vide. Cela me rappelait un trop mauvais souvenir.

Je n'oublierai jamais ma terrible chute du toit de la maison de campagne de mes parents pendant l'été trois années plus tôt. J'avais tout simplement voulu récupérer une balle de tennis.

J'en étais bien sorti, avec seulement un traumatisme crânien et un léger hématome au bas de mon dos.

Mais j'avais échappé de peu à la paralysie ou même à la mort.

Parce que j'étais tombé dans l'atelier à quelques centimètres de la raboteuse de mon père, alors menuisier de profession.

J'hésitai dans un premier temps mais j'étais vraiment à la recherche de sensations fortes alors je me décidai.

Peu de temps après, Rambo m'équipait avec adresse avant d'examiner soigneusement si les cordes étaient bien serrées.

Puis je montai, le cœur palpitant, dans une plate-forme qui s'éleva jusqu'à quarante-cinq mètres grâce à une grue, équipée d'un bras articulé.

Là-haut, je restai quelques minutes immobile, essayant de contrôler les battements fous de mon cœur.

Petit à petit, je m'approchai au bord du vide. C'est là que je fus littéralement mort de trouille.

Je ressentis une sensation de grande angoisse à me savoir seul, devant le grand vide. Et j'eus l'impression de vivre mes dernières secondes.

– Qu'est-ce que je fous là... je suis un malade... Je veux me tuer ou quoi, maugréai-je.

Méfiant de la fiabilité des cordes qui encerclaient mes pieds, je me répétai inlassablement.

– Oh ! Non ! C'est pas possible… je ne veux pas mourir... je ne veux absolument pas mourir.

En contrebas, autour d'une multitude de gens avides de curiosité, Jean-Pierre, qui s'apprêtait à me photographier, attendait, avec une patience d'ange, mon saut.

Le saut le plus fou de ma vie !

Je m'efforçai de plonger dans le vide mais, à chaque fois, mon esprit disait.

– Non... Ne fais pas l'imbécile... Pense à ta famille.

Après une dernière vérification, le Yankee, calme, me motiva et fit signe.

– Allez, c'est rien... il faut bondir maintenant.

Peu de temps après, débarrassant ma tête de toutes ces idées, je fermai les yeux et sautai enfin de haut.

Et je sentis l'adrénaline monter à une vitesse incroyable, la plus grosse de ma vie. La tête dans le vide et les jambes en l'air.

A ce moment-là, je pris plaisir à crier haut et fort comme un dingue. J'éprouvais une grande satisfaction personnelle d'avoir réalisé ce fameux saut à risque.

Mon baptême du vide !

Ce fut également une sensation extrêmement forte, difficilement exprimable, tant elle était étrange, complexe et ambiguë.

Les jambes flageolantes, je retrouvai Jean-Pierre et l'encourageai à le faire à son tour. Il accepta.

– N'oublie pas de prendre des clichés quand je sauterai de haut ! me répondit-il tout en me confiant son appareil photo.

Et ce fut son tour.

*

* *

Après seulement deux jours, cela devenait un peu ennuyeux sur cette île où il n'y avait rien à faire, à part la plage et les loisirs.

– Vous voulez faire un tour demain après-midi ensemble ? nous proposa Rambo à grands gestes compréhensibles.

– Il y a beaucoup de choses à voir dans le coin, insista-t-il.

Nous acceptâmes son initiative et fixâmes rendez-vous chez lui.

Et il nous expliqua brièvement le lieu et le chemin à prendre pour nous diriger vers son bungalow.

*

* *

L'approche du soir et des virées dans les boîtes de nuit ne valait plus rien du tout pour moi. J'étais fatigué de tout ça.

A la longue, les allers et venues incessantes des bombes sexuelles finirent par me lasser.

J'informai Jean-Pierre que je préférais rester tranquille dans ma chambre.

Oui, j'avais envie de tout plaquer pour me serrer dans les bras de Nong.

Je n'étais plus le même homme depuis que j'avais trouvé l'amour.

Un jour sans Nong, c'était comme... une journée sans soleil.

Plus le temps passait, plus j'étais amoureux d'elle.

Elle me manquait, oui ! Je ne voulais pas la perdre. Et j'allais tout faire pour la garder, me répétai-je, songeur.

Je m'imaginais comment je serais avec elle et des enfants en France ; je m'imaginais de belles choses, concernant l'avenir.

A dire vrai, personne n'est vraiment fait pour vivre seul.

D'une façon générale, avant de former un couple, il faut prendre son temps, parfaitement connaître son partenaire, sa personnalité profonde, ses points forts et ses faiblesses. Et il faut tous les respecter.

S'aimer, ce n'est pas se regarder l'un l'autre mais c'est regarder ensemble dans la même direction.

S'aimer, c'est aussi apprendre à accepter nos différences.

Tout peut arriver dans la vie, et surtout rien. Mais cette fois, quand même, dans ma vie, il s'était passé quelque chose : j'avais trouvé l'amour, et Nong me rendait heureux.

*

* *

Dans la nuit, ne pouvant pas fermer l'oeil, je sortis de mon bungalow. Je marchai quelques mètres en direction de la mer, et je m'allongeai sur le sable.

Dehors, il n'y avait personne ; on ne distinguait que les lumières des autres refuges qui scintillaient tout le long du bord de la mer.

En cette douce soirée qui suivit une journée orageuse et banale, je vis l'immense ciel étoilé plus beau que jamais. La lune s'était levée et miroitait sur les eaux.

Sur la gauche, je repérai au loin trois silhouettes noires et assises tout près de la mer.

L'une d'elles s'approcha de moi. C'était une gonzesse facile et dévergondée. Je sentis l'odeur puante de sa bouche m'envahir, celle de la drogue.

Cette demoiselle se mit à genoux et déboutonna doucement mon pantalon. A l'aide de ses mains douces et habiles, elle toucha ma verge pour la branler calmement puis commença à la sucer.

Mais je repoussai d'une main insistante cette diablesse et m'en allai retrouver mon lit.

Abruti par l'air conditionné et la fatigue, je m'assoupis.

Chapitre 22

Profitant d'un premier rayon de soleil matinal, je décidai fermement de faire une promenade à pied sur la plage. L'air et l'eau étaient encore tièdes.

Je sentais maintenant la forme revenir.

Ici, la vie s'écoulait, calme et paisible, entrecoupée de sorties à moto et à pied, de loisirs et de virées nocturnes dans les discothèques.

Mais j'étais ailleurs.

Quelque chose me manquait.

C'était encore Nong !

Alors, comment ma vie avait-elle pu basculer en si peu de temps depuis la rencontre avec Nong ?

Atterré, je demeurai un moment perdu dans mes pensées.

*

* *

L'après-midi, nous nous rendîmes, sans la moindre difficulté, au bungalow de Rambo.

Et nous restâmes surpris de découvrir qu'il n'était pas seul mais dans les bras d'une Australienne.

Je fixai discrètement mon attention sur cette jeune femme : elle avait de longs cheveux châtains, un visage ni beau ni laid. De manière un peu forcée, je souris. Elle sourit à son tour, avec plus de franchise.

Adeptes de la vie au grand air, nous profitâmes d'une escapade à moto vers le sud de l'île de Samui avec Rambo.

Lui, c'était un type assuré et extrêmement cool. Je le regardai avec un sourire de camarade. Jean-Pierre éprouvait lui aussi une vive sympathie pour ce jeunot.

Il était devenu un ami de passage pour nous. En compagnie de son amourette, il nous accompagna dans un endroit reculé et isolé.

C'était une petite et charmante chute d'eau avec, au pied, un agréable bassin de dix mètres sur cinq dans lequel des gamins du coin barbotaient.

Sous nos yeux, Rambo fit un magnifique plongeon dans ce bassin et se lava machinalement auprès de sa conquête.

Beaucoup plus tard, guidé par un Rambo de plus en plus joyeux, visiblement content de nous montrer parfaitement ses connaissances aux alentours, nous nous retrouvâmes devant d'impressionnants chaos rocheux qui cascadaient jusqu'à une plage déserte.

Dans les granits, se dressait un colossal pilier phallique dont la forme et les proportions ne laissaient aucun doute sur ce que le Créateur avait voulu figurer.

Et, comble du hasard, à côté, une faille étroite entre deux rochers constituait un complément naturel.

– C'est étonnant, n'est-ce pas ? souffla Jean-Pierre en riant.

– Oui, absolument…, admis-je, hilare.

Un tel réalisme était rare et nous n'arrêtâmes pas de pouffer de rire.

Peu après, nous entrâmes, assoiffés, dans un bar typique de l'architecture des maisons en planches du début du XXème siècle.

Installés à l'ombre, nous bavardâmes et commandâmes un rafraîchissement. Je choisis un fanta orange ; la fraîcheur de cette boisson me procura une sensation bienfaisante.

Puis, nous reprîmes la route qui nous achemina jusqu'au point de départ.

Et, ce ne fut que tard dans la soirée, que Rambo nous fit ses adieux.

*

* *

Au lever du jour, après avoir laissé délicatement nos engins motorisés dans un coin tranquille, nous prîmes, en compagnie d'une cinquantaine de touristes européens et japonais, le départ de *Na Thon* à bord d'une vedette.

Direction le parc maritime d'Ang Tong, un archipel de quarante îles, à l'ouest de l'île de Samui.

Ce n'était que la mer, rien que la mer !

Pour tout vous dire, je n'aimai pas tellement cette croisière ; en fait, c'était trop ennuyeux.

Je ne voulus pas garder les yeux rivés sur le large. Voilà pourquoi je m'affalai sur une chaise longue avec l'espoir de pouvoir fermer les yeux.

Beaucoup plus loin, les yeux encore ensommeillés, j'aperçus enfin, depuis le large, un groupe d'îles isolées plus ou moins grandes.

Que d'îles, que d'îles !

Il faisait soleil. Pas un seul nuage dans le ciel. Les paysages étaient totalement paradisiaques.

A quelques mètres d'un de ces îlots, le bateau de promenade s'arrêta et mit l'ancre.

Nous dînâmes sur la terrasse de ce navire qui nous offrait une vue grandiose et splendide. Ce fut un repas de fruits de mer et, comme dessert, de la pastèque rafraîchissante.

La mer était calme ; une heure plus tard, nous descendîmes dans un canot à l'instar des naufragés pour accoster cette espace de terre entouré d'eau de tous côtés.

La plage était magnifique et sauvage, pratiquement vierge, où l'ombre des cocotiers servait de parasol. Le sable blanc était brûlant. Mes pieds nus finirent par s'habituer.

Ivre de fatigue, conquis par le charme de cet endroit, son calme et sa chaleur, je déclinai la proposition de l'équipe qui allait faire une randonnée pédestre à travers l'île.

Vague à l'âme, je préférai rester proche de la mer et me laisser aller à une vie moins stressante sur cette plage chaude.

Avec une si longue trêve inattendue, loin de la civilisation et de la pollution citadine, je savourai ces rares moments de la vie.

Ici, c'était vraiment le paradis et le lieu rêvé pour se détendre. Pas de routes, donc pas de voitures, vive le silence absolu !

Parfois, il nous est difficile d'imaginer qu'il existe des coins de paradis dans notre chère et vieille planète.

Et, qui, d'entre vous, n'a pas rêvé de posséder un morceau de paradis pour jouer le Robinson Crusoë ?

Enfant, je me rappelle très bien avoir lu passionnément l'histoire de ce marin écossais sur les bancs de l'école avec une religieuse qui, malheureusement, allait mourir d'un cancer.

C'était aussi l'un de mes professeurs préférés et le seul à nous avoir demandé d'illustrer les nombreux textes dans un grand cahier spiralé à carreaux.

Ce qui m'intéressait particulièrement dans ce récit, c'était la rencontre inattendue sur une île perdue entre Robinson, le seul survivant, et Vendredi, l'Indien, proche de la nature et cannibale à ses heures. Petit à petit, Robinson comprend que l'homme blanc n'est pas supérieur aux autres.

Bref, Robinson Crusoë a toujours été pour moi un mythe.

Le groupe de Jean-Pierre étant parti, je me trouvai seul sur une plage reposante. J'essayai de m'endormir en torse nu et en maillot de bain sous un soleil de plomb. Cependant, je n'aimais pas rester bronzer sans rien faire !

Au bout de quelques minutes, je n'arrivais toujours pas à fermer l'oeil.

Peu de temps après, à une dizaine de mètres de moi, je remarquai une femme, au corps superbe et muni d'un bikini, qui faisait sa sieste.

Je me rendis compte que nous étions les deux seules personnes à demeurer sur la plage écrasée par la lumière implacable du soleil.

Sans aucune gêne, je m'approchai d'elle ; j'alternai mon regard entre cette inconnue et la chaloupe qui se reposait depuis un certain temps sur le bord de mer.

A son réveil, je lui lançai avec un large sourire :

– *Hello.*

Elle secoua la tête pour me rendre la pareille.

Ensuite, nous engageâmes sans difficulté la conversation durant laquelle nous nous amusâmes à écrire, sur le sable, des mots en anglais à l'aide d'une brindille.

C'était une doctoresse américaine, de taille moyenne, et mince, aux cheveux coupés à la garçonne.

Pour dégourdir un peu nos jambes, nous longeâmes, côte à côte, la partie plate et sableuse.

Etonnée d'apprendre ma surdité, elle me raconta qu'elle recevait des enfants sourds dans son cabinet et qu'elle aimait communiquer, oralement ou gestuellement, avec ceux-ci.

Au cours de nos échanges mutuels, je lui demandai :

– *After Thaïland, you go where ?*

– *I stay here during one month then I left for Hawaï.*

Emerveillé de sa future destination, je lui fis un mime en agitant parallèlement mes deux mains pour lui demander :

– *Surf, you ?*

Elle me comprit tout de suite et hocha vigoureusement sa tête.

– *Yes ! Yes !*

La musculature de ses biceps et de ses jambes prouvait parfaitement son goût pour le sport.

Sur le chemin du retour, nous avançâmes un moment en silence. Une heure de marche nous avait fait du bien. Je passais le reste de l'après-midi sur la plage brûlée par le soleil.

Beaucoup plus tard, après notre réapparition sur la plage centrale, le groupe arriva à notre hauteur.

Le soleil brillait toujours ; Jean-Pierre, trempé de sueur, apparut et m'affirma :

– C'est très beau la vue d'en haut avec l'étendue de la mer et, en contrebas, la plage de sable blanc.

Le soir, au lit, je repensai à cette excursion maritime. Parmi les merveilles des îlots calcaires, j'avais aimé le moment fort de la journée : mettre mes pieds à terre sur une île déserte, sans occupants et sans vie.

Chapitre 23

Pour une fois, je m'offris une grasse matinée sans le savoir. Je m'éveillai très tard et me forçai à ouvrir les yeux.

Je vérifiai ma montre : 10 heures. Au bout de quelques secondes, je me levai et pris une douche.

Devant la glace, suspendue au-dessus du lavabo, je scrutai machinalement mon visage ; ma peau était devenue mate.

Et j'avais considérablement maigri.

En quelques minutes, je me rasai puis me fringuai.

Cette dernière journée commença lentement et devint longue. Les heures ne passèrent pas vite.

Je m'emmerdai ; j'avais hâte de quitter cette île à la fois ennuyeuse et animée pour me rapprocher de Nong.

Tous ces kilomètres qui nous séparaient me firent râler… mais ne m'empêchèrent pas de penser à elle.

J'avais, dans la tête, son corps mat et son visage au sourire éclatant.

Après avoir déposé les clés à l'accueil, nous sortîmes calmement et nous engouffrâmes dans un *songthaew* qui nous conduisit jusqu'à l'embarcadère de *Na Thon*.

De là, en ce début d'après-midi, nous embarquâmes dans un *express-boat* pour rallier Surat Thani, la terre ferme de la Thaïlande.

La traversée en mer sera longue : trois heures !

A bord d'une vedette, nos regards se tournaient vers une marée humaine : une centaine de Thaïs et de touristes, surtout des occidentaux, s'entassaient les uns à côté des autres.

Puis, des sacs, plus ou moins volumineux, jonchaient le pont.

Vu cette ambiance qui n'était pas forcément déplaisante, on s'était cru un moment dans un *boat people*.

Peu après, le matelot commença à larguer l'amarre du bateau. A l'arrière du navire, nous ne pûmes nous empêcher de lorgner l'île qui s'éloignait.

*

* *

A 6 heures du soir, nous nous retrouvâmes dans la gare de Surat Thani, grouillante de monde.

Une quinzaine de minutes plus tard, un billet jaunâtre dans la poche, nous nous mêlâmes à la foule des voyageurs qui se pressait sur le quai pour prendre le train de nuit de Bangkok.

Les voies ferrées ne sont pas très rapides, mais les trains partent et arrivent à l'heure.

L'itinéraire dura toute une nuit, avec plusieurs arrêts.

Mais nous avions prévu de descendre à Nakhon Pathom afin de prendre un car qui nous cheminerait vers Kanchanaburi.

Après avoir acheté des petites rations alimentaires, nous montâmes dans un compartiment climatisé.

Et nous nous installâmes aussi confortablement que possible aux places qui nous avaient été réservées, en première classe.

Dans ce train-couchettes, il n'y avait pas de couloir ; les compartiments occupaient toute la largeur du wagon et s'ouvraient par une portière qui donnait directement sur la voie.

A 19 heures, le convoi de nuit de Bangkok s'ébranla.

Pendant ce temps-là, j'eus droit au beau sourire d'une hôtesse, revêtue d'une robe bleu marine et d'une chemise blanche boutonnée jusqu'au cou. Elle était soignée, belle et grande, les cheveux noirs en chignon.

Si Nong avait été là, j'aurais concrétisé mon envie de faire l'amour avec elle, au milieu de la nuit, dans un compartiment libéré.

Le convoi roulait toujours régulièrement ; après avoir dîné et conversé, Jean-Pierre et moi, préparâmes de chaque côté notre lit : on nous avait fourni un drap propre et une couverture.

Puis, nous n'eûmes plus qu'à essayer de trouver le sommeil en espérant que tout se passerait bien jusqu'à notre prochain arrêt.

Hélas ! En raison des vibrations permanentes du wagon qui s'entrechoquait sur les rails, je somnolai. A maintes reprises, je me redressai sur ma couchette.

De quoi passer une nuit blanche !

Quant à Jean-Pierre, il avait dû s'endormir rapidement car, lorsqu'il se réveilla, il eut l'impression d'avoir dormi longtemps. Il regarda sa montre. Ce qui l'avait tiré du sommeil : ce fut le silence, le convoi s'était arrêté.

Je passai la tête à la fenêtre du compartiment. Le train était stationné devant une quelconque gare en pleine campagne.

Dehors, il faisait nuit noire ; seuls le quai et les vitres de la petite gare étaient illuminés.

Avec des affaires plus ou moins importantes, un petit nombre de passagers descendirent du convoi.

*

* *

Vers 7 heures, le train de nuit s'arrêta à nouveau mais, lorsque nous vîmes la pancarte indiquant Nakhom Pathom, nous débarquâmes du wagon-couchettes sans nous attarder.

La ville était encore endormie à cette heure-là. Les rues étaient désertes ; il allait bientôt faire grand jour.

Nous traversâmes la ville silencieuse et cherchâmes l'arrêt de l'autobus.

En fait, c'était à proximité de la porte Est du plus haut chedî du monde d'une hauteur de cent vingt mètres – entièrement recouvert de tuiles vernissées de Chine –, que nous devions patienter l'arrivée d'un autocar.

Après plusieurs minutes d'attente, le bus arriva à nos pieds ; nous prîmes place du côté gauche à peu près au milieu du car.

Au bout de quelques secondes, le car démarra en trombe.

Je constatai, à ma grande surprise, qu'il était démuni de carreaux. Quand l'air commença à entrer de tous les côtés, je dus enfiler un coupe-vent pour ne pas prendre froid.

Je distinguai confusément une vingtaine d'autres passagers. La plupart d'entre eux étaient des écoliers, le teint métis aux cheveux de jais, en tenue uniforme.

Les garçons portaient une chemise mauve et un bermuda bleu marine tandis que les filles étaient en chemise blanche et en jupe bleue marine. Certains nous dévisageaient timidement ; d'autres discrètement.

Certes, prendre le bus, c'était l'occasion d'échanger un sourire et, plus rarement, d'engager la conversation.

Deux heures plus tard, nous atteignîmes Kanchanaburi, qui s'étalait sur cinq kilomètres le long de la rivière Kwaï ; l'autocar nous déposa dans un terminal de bus.

A bord d'une moto de location, nous nous dirigeâmes maintenant vers l'hébergement, situé plus au nord après le pont.

Plantée dans un joli petit jardin tropical, cette *guesthouse* comptait une trentaine de chambres en bambou, propres et pittoresques, avec salles d'eau dont certaines sur des pontons flottants, pour ceux qui préféraient dormir au fil de l'eau. Les autres se trouvaient sur la terre ferme.

C'est là que nous prîmes possession de nos chambres respectives et déposâmes nos bagages.

L'endroit était charmant. Des arbres ombrageaient la terrasse ; la pelouse était bien entretenue.

Ici, il faisait bon se laisser vivre.

*

* *

Dans l'après-midi, après une longue sieste et un repas abondant, nous attaquâmes la tournée de cette ville, marquée par la Seconde Guerre mondiale.

Le ciel était nuageux ; étonnamment, les touristes étaient peu nombreux.

En premier, nous visitâmes le célèbre pont métallique, aujourd'hui reconstitué, et immortalisé par le film de David Lean, tiré du roman de Pierre Boulle.

Ce bouquin, que j'avais découvert dans le fond de la petite bibliothèque de ma grand-mère maternelle. Il était toujours intact et sentait encore bon les vieux papiers. J'avais quinze ans.

Lorsque je vis ce pont, vieux de cinquante ans et mondialement connu, qui n'avait rien à voir avec l'histoire du livre et du film, je fus terriblement déçu.

*

* *

Il reste toutefois une réalité : durant la Seconde Guerre mondiale, en 1942, écartelé par l'étirement de ses voies de communication terrestres et de graves risques sur ses transports maritimes, l'armée impériale japonaise avait ordonné la construction d'une voie de chemin de fer de mort qui devait relier le Siam à la Birmanie et qui serpentait le long de la rivière Kwaï.

Des dizaines de milliers de prisonniers britanniques, australiens, néo-zélandais et américains ainsi qu'une flopée de travailleurs asiatiques avaient oeuvré à ces quatre cents quinze kilomètres de voie ferrée, dans des conditions d'existence inhumaines.

En plein cœur d'une jungle insalubre dans une région montagneuse !

Les travaux sur les chantiers étaient moyenâgeux : les hommes devaient évacuer dans de simples paniers les déblais que la dynamite arrachait à la montagne !

On ne rigolait pas à l'époque. Le 25 octobre 1943, le chemin de fer était terminé, mais seize mille prisonniers de guerre avaient trouvé la mort, victimes de la sous-alimentation, de sévices, de maladie tropicale ou d'épuisement.

Peu de temps après l'ouverture du trafic ferroviaire, les bombardiers alliés avaient détruit ce pont, rendant le chemin de fer impraticable.

*

* *

Après avoir laissé nos motocyclettes sur le bord du trottoir, nous fîmes plaisir de franchir le pont à pied.

Mais le moyen le plus pratique est le train que l'on prend jusqu'à Nam Tok, le terminus.

Après la Seconde Guerre mondiale, la ligne ferroviaire fut rachetée aux Alliés par la Compagnie royale des chemins de fer thaïlandais. Malgré cela, les cessionnaires omirent de signaler qu'au-delà de Nam Tok la voie ferrée permettant de rejoindre Thanbyuzayat, en Birmanie, par le col des Trois Pagodes avait été démantelée !

Bref, les deux cents quatre-vingt cinq autres kilomètres de rails abandonnés avaient été récupérés et vendus au poids du métal dès la fin de la guerre.

A ce moment-là, tout en marchant sur le pont, nous croisâmes une équipe d'entretien armée de ses cinq hommes casqués, vérifiant attentivement quelques passages sensibles de ce chemin de fer, bâti trop vite pendant la Seconde Guerre mondiale.

Soyez rassurés : si le pont s'enfonce, il y en a pour quelques années et le contrôle journalier s'impose.

A proximité du pont, deux locomotives à vapeur, puissantes, racées et impressionnantes, se reposaient pour ne jamais reprendre du service ; un autre camion bleu pâle avait été transformé en locomotive.

*
* *

Je me souviens d'un matin de Noël : j'avais reçu une locomotive rouge miniature à l'âge de cinq ans. Depuis, ma passion pour les chemins de fer n'avait pas décru.

C'était toujours une petite fête solitaire ; je n'avais pas de camarades avec qui partager cette joie.

Neuf ans plus tard, avec mon père, nous avions fabriqué un réseau ferroviaire-miniature sur une planche - deux mètres de long et un mètre vingt de large - aux quatre pieds.

Au fur et à mesure, nous avions créé des vallées et une chute d'eau ; installé des routes et implanté des arbres et des maquettes : gare, église, maisons…

Ensuite, afin de le rendre plus vivant, des personnages et des voitures occupaient le territoire miniature. Outre la décoration finale, nous avions ajouté un peu d'éclairage par-ci par-là.

Tout était beau et en ordre.

*
* *

Peu après, nous nous rendîmes au *JEAATH Museum* dans le centre, près de la rivière.

Installé dans une cabane de bambou, fidèle réplique des dortoirs de prisonniers, ce musée rassemblait divers objets ; les murs étaient ornés de photos d'époque et de gravures qui rappelaient les souffrances épouvantables des prisonniers de guerre pour tracer des kilomètres de voie ferrée en un temps record dans la jungle thaïlandaise et birmane.

J'avais étudié l'histoire et lu quelques témoignages de rescapés, consacrés au pont de la rivière Kwaï.

Je n'étais pas venu ici pour mieux comprendre mais bien pour visionner l'inconcevable.

Au dehors, une des grosses bombes, longue d'un mètre cinquante, qui avait détruit une partie du pont de la rivière Kwaï, se dressait sur un bloc.

Ensuite, c'est dans un état de légère détresse que nous entamâmes la visite du cimetière commémoratif où se reposaient éternellement six mille quatre cent quatre-vingt deux martyrs.

Au cours d'une marche le long du cimetière militaire, soigneusement fleuri, alignant des centaines de plaques de marbre, nous avions pu prendre conscience de la dimension du drame.

Cette image sobre et sincère faisait réfléchir à cette horrible guerre qui avait massacré des milliers de gens ignorés et manipulés par le gouvernement et ses ennemis.

– J'ai du mal à me mettre dans la tête que cela ait pu exister, annonçai-je à Jean-Pierre avec un sentiment de mélancolie.

– La guerre, c'est souvent une connerie, déplora mon compagnon de voyage.

– Et, surtout, un crime pour l'humanité, ajoutai-je.

Après un bref silence, nous nous avançâmes d'un pas lent et triste.

– Je suis persuadé que les générations futures devront se souvenir du passé pour ne pas répéter les mêmes erreurs, repris-je.

*

* *

Le soir, nous nous retrouvâmes en tête à tête dans un charmant resto, à quelques encablures de Kanchanaburi, un peu plus loin du pont.

C'était un bâtiment rectangulaire en planches de bois rouge et au vaste toit de palmes tressées. Un côté s'ouvrait largement sur la rivière Kwaï et se prolongeait par une terrasse en bois.

La nuit était tombée ; dans ce coin tranquille, on nous proposa une délicieuse cuisine thaïe.

Au fil de nos bavardages, entrecoupés de regards sur les tables voisines et la fameuse rivière, nous goûtâmes le riz sauté au bœuf avec des petits légumes et la copieuse salade de fruits.

*

* *

Ce matin-là, vers 10 heures 30, nous attendîmes le tortillard sur le quai, après avoir acheté des billets – aller et retour – dans l'humble gare de Kanchanaburi, station la plus proche du pont de la rivière Kwaï.

Le parcours de Kanchanaburi à Nam Tok est court : soixante kilomètres seulement. Mais, en raison de la médiocrité des voies ferrées, il traîne deux heures, avec de nombreuses haltes.

En face de nous, un jeunot, indifférent aux horaires du train, se baladait, au milieu des rails, à la recherche d'un objet de valeur ou d'une nourriture pouvant l'intéresser.

Plus loin, quelques wagons ouverts à deux essieux avec couleurs « camouflages » s'abandonnaient sur les rails.

Trente minutes plus tard, une locomotive diesel, qui tractait un convoi de voitures antiques avec des banquettes en bois, arriva lentement.

J'avais hâte de m'embarquer dans un de ces vieux wagons ; à cet instant, Jean-Pierre m'avertit :

– Il faut mieux s'asseoir à gauche dans le sens de la marche du train pour mieux apprécier les paysages environnants.

Parmi nous, les voyageurs français et étrangers étaient, paraît-il, les plus enthousiastes de tous ; ils s'installaient dans la bonne humeur sur des sièges en bois des voitures sans vitres.

A nous, la grande aventure ferroviaire !

Peu après, il y eut des à-coups au départ du train.

Après avoir traversé le pont, le tortillard traversa cahin-caha la vallée verdoyante et longea la rivière Kwaï aux eaux calmes.

Dans un moment, un contrôleur, beau comme le jour, apparut à notre hauteur pour une vérification de tickets.

A l'approche de *Wang Po*, je sentis que le train ralentit puis s'avança lentement. En effet, il abordait le double viaduc, uniquement soutenu par un enchevêtrement de pilotis en bois, à vitesse réduite, presque au pas.

A bord, le silence se fit ; les mines des passagers se fermèrent.

En jetant un regard à travers la fenêtre, nous constatâmes que cet échafaudage de bois accroché à flanc de falaise, surplombant la rivière Kwaï sur une distance de deux kilomètres, pouvait craquer sous le poids du convoi qui tanguait dangereusement.

On s'inquiétait plus encore quand on savait dans quelles conditions il avait été érigé !

Un grand frisson m'envahit alors que Jean-Pierre, qui avait l'air confiant, prit des tas de photos.

Après le spectaculaire viaduc que les wagons passaient en frôlant la falaise, le tortillard reprit de la vitesse, s'arrêta à la station *Wang Po*, où des écoliers, des paysans et des touristes montèrent et descendirent, et fila ensuite jusqu'à Nam Tok, terminus de la ligne.

Au-delà, plus rien !

Nous y voilà, à Nam Tok.

Affamés, nous trouvâmes facilement une gargote en plein air ; nous commandâmes une boule de riz un peu trop pimentée que je me forçai à avaler.

Peu après, nous arpentâmes le centre ; il n'y avait rien de spécial à Nam Tok. A part les petits footballeurs qui jouaient sur un terrain mal entretenu et trop grand pour eux, nous eûmes l'impression de tourner en rond.

Aux alentours de 3 heures de l'après-midi, nous retournâmes sur le point d'arrivée pour remonter dans le train à destination de Kanchanaburi.

Sur le trajet du retour, j'eus une triste pensée pour les malheureux prisonniers de guerre des Japonais.

*

* *

Une nuitée réparatrice, un retour en car sur Bangkok avec pleins de petits trains dans la tête et nous voici replongés dans les embouteillages de la banlieue.

Chapitre 24

Après une douche méritée à l'hôtel et un repas typiquement asiatique, j'allai retrouver Nong au bar *Hollywood.*

J'avais le cœur qui battait de la chamade. Cela faisait sept jours que je ne l'avais pas vue.

Je me sentis un peu timide et des questions commençaient à naître dans mon esprit.

Comment allait-elle réagir à mon arrivée ?

M'avait-elle oublié ?

Serait-elle encore là ? Ou avec un autre homme ?

Avait-elle renoncé à son travail de racoleuse ?

A l'intérieur de ce bar à putes, j'inspectai longuement autour de moi et me mit à marcher en direction du bar. Je n'apercevais pas encore Nong.

D'un air inquiet, je n'arrêtai pas de jeter des regards interrogateurs à Jean-Pierre et à sa petite amie, qui s'enlaçaient depuis un bon moment.

Quelques minutes plus tard, Nong arriva tout droit vers moi. Une bouffée de joie m'inonda.

Les cheveux tressés, elle fit un sourire radieux et ses yeux pétillèrent.

– Oh ! Je suis contente de te revoir. Tu ne m'as pas oublié. T'es un homme droit et fidèle, semblait-elle me dire.

Elle m'apporta un réconfort et un sentiment chauds. Nous nous serrâmes et nous nous embrassâmes fort.

Ce même soir, à la veille de notre retour pour la France, Jean-Pierre ne souhaita pas passer une dernière journée à Bangkok.

Autour d'un verre, dans un environnement vaguement grisant, sensuel et populaire, ni agressif ni compliqué en tout cas, où se mêlaient la clientèle, les danseuses et les hôtesses, nous nous mîmes d'accord pour nous déplacer à quatre, par le car climatisé, à Ayutthaya, dès le lendemain matin.

Quatre-vingt dix kilomètres séparaient ces deux villes.

D'un air joyeux, Nong m'annonça que sa famille avait vécu là-bas avant d'émigrer à Bangkok. D'emblée, je me sentis jubilant pour l'accompagner dans son pays natal.

Dans la chambre de l'hôtel, je voulus lui faire une surprise.

Un doux sourire illumina le visage de Nong lorsque je lui tendis le minuscule cadeau. Elle fut bouleversée en découvrant que c'était un collier que j'avais acheté à l'île Samui.

Elle vint à moi et nous fîmes l'amour.

*

* *

A l'approche du jour, nous eûmes du mal à nous lever.

Dommage que nous n'ayons pas fait la grasse matinée ; j'aurai bien aimé rester enfermé au chaud avec elle mais nous devions prendre le premier bus qui partait à 6 heures.

Dans la salle de bains, Nong était toujours attentive à soigner son visage et son corps. Elle en prenait soin avec des produits de maquillage et des crèmes démaquillantes.

Elle arborait une superbe robe mauve et longue jusqu'aux genoux et portait des sandales blanches. Elle était ravissante, ses lourds cheveux brillants répandus sur ses épaules.

Elle n'oublia pas de porter fièrement mon collier autour de son cou parfumé.

Nong, les yeux noirs et attentifs, les seins en forme de pomme, les joues pleines et rondes, se montrait toujours affectueuse et tendre avec moi.

Heureuse et désirable, elle était jolie à croquer avec le cœur en fête.

Quand nos yeux se rencontraient, elle me souriait toujours, une risette sincère, gaie et agréable.

*

* *

A la manière des collégiens, nous nous installâmes au fond sur des sièges à l'arrière du convoi.

Pendant le voyage, Nong était radieuse dans mes bras. Je lui baisotai et pelotai ses parties intimes à l'abri des regards des passagers.

J'étais l'homme le plus heureux de la planète.

J'avais cru, avec Nong, à une liaison amoureuse passagère.

Eh bien, non !

C'était le contraire.

Moi, j'étais bel et bien amoureux d'une jeune fille publique… pour certains, ça aurait été de la pure folie ; pour d'autres, ça aurait été le destin d'un amour invraisemblable.

Donc je donnais toute mon affection et ma tendresse pour elle.

Croyez-moi, je n'étais pas un homme sans entrailles.

Par rapport à d'autres femmes que j'avais eues, je ne voyais pas en elle qu'un objet de désir sexuel.

C'était plus que ça.

Enfin, après une heure et demie de trajet, nous arrivâmes à Ayutthaya. C'est l'ancienne capitale du Siam, fondée en 1350.

Trente-trois rois y avaient régné. Ce royaume comptait jusqu'à un million d'habitants !

Au fil des règnes successifs, une quantité impressionnante de temples et de palais avait été édifiée autour desquels le petit peuple vivait dans des maisons de bois sur pilotis guère différentes des habitations paysannes actuelles.

Malheureusement, en 1767, elle fut rasée par les Birmans, et Bangkok devint alors la capitale. Les Siamois achevèrent la liquidation d'Ayutthaya en utilisant les matériaux des anciens temples et pagodes pour construire ceux de Bangkok.

Le reste, laissé à l'abandon et livré à la végétation, fut réhabilité il y a une trentaine d'années seulement.

Curieusement, Ayutthaya est une sorte d'île puisque entièrement entouré de rivières.

Malgré le temps couvert, des gros nuages gris et bas recouvraient le parc archéologique qui s'étendait sur quinze kilomètres carrés. Il était donc quasi impossible de le parcourir à pied.

En compagnie de Jean-Pierre et de sa petite amie, nous fîmes pédestrement de petites promenades en amoureux à travers les ruines impressionnantes de cette vieille cité presque abandonnée.

Tranquillement, nous marchâmes, main dans la main. Nous prenions des photos de chacun de nos couples devant les innombrables vestiges de palais et de temples mangés par la végétation. A quatre, nous nous amusâmes à gravir et à descendre les vieux escaliers des chedhis.

Personne ne restait insensible devant ces monuments délabrés, vieux de six cents ans et plus, dont on se demandait toujours comment ils avaient pu être construits par des hommes avec leurs moyens d'alors puis détruits par des ennemis.

J'avais trouvé cela poignant.

Nous nous laissâmes entraîner dans cet immense endroit verdoyant et paisible.

Toute la journée, nous échangeâmes des regards langoureux et nous éclatâmes de rire. Nong vint souvent frotter son corps contre le mien.

Il y eut des frôlements de mains, des sourires qui en disaient long.

Nous nous caressâmes doucement, nous nous parlâmes avec les yeux et j'étais pleinement joyeux.

Un bonheur si parfait que je m'étonnais de pouvoir l'éprouver.

– C'est une fille affectueuse et attentionnée ; et, probablement, elle serait une mère aimante et sage, me dis-je.

Au retour d'Ayutthaya, du fond du car, je n'arrêtais pas de l'admirer, en me répétant que je l'aimais profondément.

A chaque fois que je posais les yeux sur elle, je ressentais toujours le même émerveillement.

Nong se blottit contre moi puis elle se redressa, un sourire plein de douceur aux lèvres.

Pendant ce temps-là, nous avions été pris dans une heure d'embouteillage monstrueux à l'entrée du périphérique bangkokien.

Après un dîner bâclé à quatre et une journée qui nous avait fait grand bien, nous nous avachîmes sur un lit dans une chambre d'hôtel faiblement éclairée.

Chapitre 25

Au petit matin, après notre dernière nuit d'amour faite de baisers, de calins, de caresses hésitantes, de douceurs et de rapports intimes, Nong m'informa, en faisant des signes compréhensibles, qu'elle ne souhaitait pas venir avec moi à l'aéroport.

Je la dévisageai, à la fois surpris et déçu, et lui déclarai :

– *Why ?*

Navrée, elle m'exprima encore en signes qu'elle ne voulait pas pleurer devant moi et le public. Tout simplement, elle préférait me quitter à l'hôtel et, non, à l'aéroport.

Alors que son visage s'assombrissait, je devinai qu'une mélancolie profonde l'avait envahi.

Amoureux d'elle, j'éprouvai un sentiment de malaise et tentai de lui dire quelque chose de réconfortant.

Je restai silencieux un moment, réfléchissant, puis je tranchai :

– Je vais revenir l'année prochaine… en janvier ou plus tard.

Je lui fis un petit signe de tête rassurant ; elle hocha lentement la tête et me serra dans ses bras.

Après nous bavardâmes un peu, enlacés sur le lit, elle n'avait pas l'air très pressée de s'en aller.

Conscient de son abattement, je lui suggérai de partir maintenant.

Elle accepta. Puis je le raccompagnai jusqu'à la sortie en lui tenant la main ; devant la porte, nous échangeâmes plusieurs bises sur les joues.

Et je la regardai s'éloigner lentement, la larme à l'oeil.

La séparation fut douloureuse, mais nous avions décidé de rester en contact après avoir échangé nos adresses.

Me voilà esseulé dans cette chambre devenue muette, je m'efforçai de m'habituer à la solitude qui régnait déjà.

Les minutes passèrent. Machinalement, je jetai un dernier coup d'œil autour de ma chambre et dans la salle de bains pour m'assurer que je n'avais rien oublié.

Dans la salle d'attente située au rez-de-chaussée de notre hôtel en face du bureau de réception où nous devions prendre le taxi, je retrouvai Jean-Pierre, tout sourire avec sa bien-aimée à ses côtés qui accepta volontiers de nous suivre jusqu'à l'aéroport.

Hélas, pour des raisons administratives, elle devait attendre encore quelques mois pour aller en France avec son futur mari.

Le blues qui m'habitait s'accentua lorsque nous montâmes dans le taxi en direction de l'aéroport.

– Allez, Erwan, tu la reverras bientôt…, répétai-je en guise de consolation.

A l'aéroport, après un amical au revoir, nous déguerpîmes la capitale de la Thaïlande en fin d'après-midi.

Une tristesse noire, la plus forte que j'avais jamais éprouvée, m'atteignit.

Quitter Bangkok du ciel illuminé fut magnifique.

Au bout du monde, la France et mes proches m'attendaient avec impatience.

*

* *

Durant les premiers jours, j'eus du mal à dormir d'un sommeil de plomb : je pensais trop à Nong.

Dans la chambre de mon petit appartement, je regardai quotidiennement ses photos posées délicatement sur la table de nuit.

Les joues inondées de larmes, je lus maintes fois le papier orangé qu'elle m'avait transmis au bar *Hollywood*.

Nong me manquait atrocement.

EPILOGUE

Au moment où j'écris ces lignes, quatre ans se sont écoulés depuis mon voyage.

La lettre de Nong a été son premier, unique et dernier message.

Pourquoi ?

Parce qu'elle ne m'a jamais répondu.

Pas une seule fois.

N'ayant aucune nouvelle, j'ai cru devenir fou, tout en supposant qu'elle soit devenue une victime du machiavélisme gouvernemental et de la machination des maquereaux maléfiques pour la rendre totalement métamorphosée.

La mort dans l'âme, j'ai compris que le destin a voulu mettre fin à notre belle histoire d'amour.

Je ne la reverrai plus jamais.

Pourtant, Dieu sait combien je l'ai aimé.

Je suis resté plusieurs jours oisif. Puis, j'ai repris vie petit à petit avant de m'établir définitivement à la mer.

*

* *

Depuis que Jean-Pierre m'avait fait connaître sa décision de laisser sa dernière conquête en Thaïlande, il était reparti de nouveau mais vers l'Afrique, cette fois.

A ce moment-là, il croisa une métisse, douce et jolie, dans une agence matrimoniale.

Cette rencontre s'était produite par un coup de foudre basé sur un simple regard mutuel.

C'est ainsi qu'ils tombèrent amoureux.

C'était miraculeux, inespéré.

Afin de mieux la connaître, Jean-Pierre passa plusieurs jours en sa compagnie et lui proposa de le rejoindre en France.

Ce sera chose faite après un mariage civil sous les yeux des familles conjointes dans une île, à cent lieues de la Bretagne.

Peu après, mon ancien compagnon de voyage deviendra l'heureux père de deux mômes.

*

* *

Au bout de huit mois, je suis toujours installé dans ma pièce préférée, celle du bureau, à l'étage avec vue sur mer.

Dehors, il pleuvote en ce dimanche de mars. Il est 16 heures 45.

Devant un ordinateur d'occasion, je suis en train de peaufiner mes travaux d'écriture : crayon à la main, je parcours méticuleusement l'ultime paragraphe.

Avec un léger sourire, je me lève et marche jusqu'à la fenêtre dépourvue de rideaux pour mieux observer les promeneurs qui se baladent sur le littoral embrumé.

La mer est un peu agitée ; le vent secoue doucement les branches de quelques pinastres qui s'étendent le long du sentier côtier.

Plus loin, une petite colonie de goélands, au manteau gris avec les extrémités noires et blanches de leurs ailes, survole la marée haute.

Une dizaine de minutes plus tard, j'enfile mon blouson de cuir pour faire un petit tour, juste avant de pénétrer dans une crêperie disposée à l'entrée du village.

En même temps, planent néanmoins mes souvenirs de Thaïlande.

Remerciements

Je tiens à témoigner ma gratitude envers Yasmina, qui s'est chargée de la tâche de correctrice.

Je voudrais également remercier, avec tout mon amour :

– Tania, ma femme, pour m'avoir toujours encouragé pendant la rédaction de ce roman ;
– mes enfants, Léo et Marino, pour leur gaieté et leur patience quand je travaillais énormément sur ce roman.

Maquette de couverture : Sophie Baslé
Photo de couverture et illustration
de la carte de Thaïlande : l'auteur

Edition : Books on Demand
12/14 rond-point des Champs Elysées
75008 PARIS
Imprimé par Books on Demand, Allemagne

ISBN : 978-2-3222-3834-7
Dépôt légal : Septembre 2020

FSC
www.fsc.org